HET TULPENVELD

Louise d'Anjou

Het tulpenveld

Westfriesland

www.kok.nl

NUR 344
ISBN 978 90 205 3001 8

© 2010 Uitgeverij Westfriesland, Kampen
Omslagillustratie en -ontwerp: Bas Mazur

HOOFDSTUK 1

Bettie schrok van de harde onweersklap die de ruiten in de keuken deed trillen. Het weerlichtte onophoudelijk en het leek van alle kanten te komen. Bettie was niet bang voor onweer, integendeel. Ze vond het altijd wel spannend en de zinderende atmosfeer die in de lucht hing gaf haar een verwachtingsvol gevoel van avontuur. Maar nu was het zelfs haar iets te bar.

Ze haalde de appeltaart uit de oven en besmeerde die met abrikozenjam. Daarna zette ze hem op het aanrecht om af te koelen. Vlug maakte ze een kop koffie voor zichzelf die ze aan de keukentafel opdronk. Morgen ging ze voor een maand met drie vriendinnen naar een vakantiebungalow in de buurt van Schagen. Het lag midden tussen de tulpenvelden die al aardig begonnen te kleuren. Toen ze met een van de vriendinnen was wezen kijken, zag het er allemaal nog kaaltjes uit. Bettie zette haar brilletje op en keek eroverheen naar buiten, waar het onweer begon af te nemen. Wel weerlichtte het nog heel erg, maar de donderklappen waren overgegaan in een voortdurend gezellig gerommel. Net een stel brommerige oude mannen, dacht ze grinnikend. Haar ogen dwaalden daarna over de lijst die voor haar lag. Ze had beloofd een stoofschotel te maken zodat ze niet direct eropuit hoefden om boodschappen te gaan doen. Het verse stokbrood voor bij de schotel haalde ze onderweg wel. Op het aanrecht stond ook een doos met de nodige boodschappen zoals toiletpapier, kruiden, een paar flessen wijn en wat hartigheden voor erbij, en natuurlijk alles voor de koffie.

De vriendinnen hadden elkaar op schilderles leren kennen en hadden na verloop van tijd vriendschap gesloten. Ze waren heel verschillend van karakter en ook van leeftijd maar dat bleek geen enkele belemmering te zijn. Bettie zelf was de oudste, ze was drieënvijftig jaar en een flamboyante verschijning. Ze hield van kleurige, ruim zittende kleding en de sjaals, de vele kettingen en armbanden verdoezelden het feit dat ze niet een van de slankste was. Ze had een dikke bos kastanjebruine krullen waar nu wat lichtere banen doorheen schemerden. Ze had over het algemeen een zonnig karakter en veel sociale vaardigheden waardoor ze als praatpaal diende voor een ieder die daar behoefte aan had.

Haar mobiel liet een vrolijk deuntje horen en ze zag op het kleine display dat het Emmy was, een van de vriendinnen.
'Hai, Em, wat een weer, hè, is het bij jullie ook zo bar en boos?'
'Valt wel mee, wel stortregent het. Ik ruik hier de appeltaart al, mmm… is hij echt al klaar?'
'Yep, hij staat te dampen. Zijn je koffers al gepakt en heb je nog wat van de anderen gehoord?'
'Nee, maar die hebben het natuurlijk druk… met zichzelf dan,' lachte ze ondeugend.
'Belde je zomaar of moet er iets van je hart?' grapte Bettie die wel wist dat Emmy ondanks haar bravoure er als jongste toch wel tegenop zag.
Emmy was een wat spichtige en vrij kleurloze jonge vrouw van drieëndertig jaar. Ze had wat vage relaties gehad maar liet daar weinig over los. Maar als ze wilde zag je een totaal andere persoonlijkheid, gezellig en creatief.
'Ik heb geen problemen, Bettie, maar ik was benieuwd hoever jij met alles bent omdat jij al het voorbereidende werk moest doen!'
'Het schiet al aardig op, Em. Alles wat ik mee wil nemen ligt klaar op mijn bed en kan ik zo in de koffer mikken. Het is een voordeel dat ik alleen ben nu Ernst op zakenreis is naar Londen. Alleen Duke is onrustig en loopt nerveus de keuken in en uit.'
Duke was hun vierjarige, niet helemaal raszuivere, goudkleurige labrador. Een vrolijke schat die met iedereen goede vriendjes wilde zijn. Als waakhond dus volkomen ongeschikt.
'Ik hoop maar dat we een beetje goed weer krijgen anders komt er van tulpen schilderen weinig terecht,' lachte Emmy weer. 'Ook hoop ik dat er nog wat anders te schilderen valt dan tulpen en nog eens tulpen.'
'Wat een voordeel is, Em, is dat we alle vier een andere manier

van schilderen hebben, zowel in de compositie als in de verf die we gebruiken, ik verheug me er erg op.'
'Ik ook natuurlijk. Maar ga jij verder met lekkere dingen te fabriceren, dan bel ik Kate en Sylvia nog wel even op.'

Glimlachend deed Bettie haar schort af en gaf de hond een aai. Die kronkelde zich van plezier in alle bochten want hij wist dat er een stevige wandeling aankwam. Het leek of het dier kon klokkijken want iedere dag rond een uur of vier trokken ze er samen op uit. Het rommelde alleen nog in de verte en de regen was opgehouden. Bettie stapte in een paar rubberlaarzen en trok haar regenjack aan.
Achter de tuin liep een pad naar de heide en het was voor Duke overbekend terrein. Hij rende met dwarse poten en de tong ver uit zijn bek voor haar uit, en als hij haar niet meer zag spurtte hij weer terug naar het vrouwtje dat in een gematigder tempo volgde. Onder het lopen dacht Bettie aan de twee andere vriendinnen, Kate en Sylvia. Sylvia was een vrouwtje van deze tijd. Trendy gekleed en haar leven volkomen op de rails. Ze was achtenveertig jaar en ze had samen met Frits, haar man, drie kinderen. De laatste daarvan was sinds een paar maanden het huis uit en studeerde in Amsterdam. Haar andere twee kinderen, allebei jongens, waren samen een zaak in sportartikelen begonnen. Sylvia was een gezellige kwebbel maar kon ook heel serieus uit de hoek komen.
Dan was er nog Kate. Tja, Kate, vijfenveertig jaar, zij was de enige waar niemand echt wijs uit kon worden. Ze kwam vaak heel cynisch over en kon enorm onverschillig reageren op hun huis-tuin-en-keukenperikelen. Toch paste ze op de een of andere vreemde manier goed in het groepje. Haar manier van schilderen, ze gebruikte olieverf, was meesttijds wat aan de surrealistische kant maar soms verraste ze hen met een stilleven waar toch een enorme kracht vanuit ging. Ze had eigenlijk geen les nodig want haar werk was echt goed. Maar ze vond het gezellig en was een inspiratiebron voor de overige cursisten. Er hing een geheimzin-

nige waas om haar heen en ze was moeilijk te doorgronden. Van haar privéleven wisten ze weinig af en niemand had eigenlijk het lef om daar naar te vragen. Ze werkte in een goed aangeschreven staande kunsthandel, en verzorgde een paar maal per jaar een expositie voor een of andere aankomend kunstenaar. Ze was een boeiende persoonlijkheid en werkte daardoor tot ieders verbeelding.

Bettie keek omhoog en zag dat de lucht weer een dreigend karakter had aangenomen, en ook het onweer scheen terug te komen want het gerommel werd heviger. Ze floot de hond en realiseerde zich toen hoe stil de natuur zich hield. De heide zag er donker en ongastvrij uit. Geen vogel liet zich horen. Alleen twee konijnen schoten over de heide de bosjes in, als wilden ze schuilen voor wat er komen ging.

Honderd meter voor ze weer thuis waren barstte het natuurgeweld in alle hevigheid los. Rennend legden Bettie en de drijfnatte en schichtige Duke de laatste meters af. Bettie slaakte een zucht van verlichting toen ze thuis waren, ze droogde de hond af en zette in de bijkeuken een bak water voor hem neer. Ze liet de deur open want hoewel Duke gewoonlijk niet bang was voor onweer was hij niet graag het middelpunt ervan.

Bettie liet de waterkoker vollopen en haalde het ouderwets gebloemde theebusje, dat nog van haar moeder was geweest, te voorschijn. Onderwijl wreef ze haar haren droog en deed een paar lampen aan want het was aardedonker buiten en natuurlijk daardoor ook in huis. Een knetterende donderslag zorgde ervoor dat Duke naar zijn mand in de keuken vloog en met onrustige ogen zijn redderende vrouwtje gadesloeg. Bettie kroelde hem even onder zijn kin: 'Niet zo kinderachtig Dukie, er is niets aan de hand hoor!' Duke wierp haar een ongelovige blik toe, stopte zijn neus onder het puntje van zijn staart en slaakte toen een diepe zucht.

Bettie maakte een beker thee klaar die ze meenam naar de huiskamer. Ze was moe en besloot vroeg naar bed te gaan. Ze wilde de volgende ochtend vroeg vertrekken, om er ruim voordat de anderen aankwamen te zijn om het een en ander vast in orde te brengen.

Van slapen kwam echter niet veel aangezien het de hele nacht onrustig bleef buiten.

'Weet jij waarom Bettie alleen naar het huisje is vertrokken?' vroeg Sylvia terwijl ze de koffie aanpakte van de ober. 'Het was gezelliger geweest er met zijn allen aan te komen.'

Ze zaten op een terrasje aan de koffie, op een uurtje afstand van de eindbestemming. 'Ik weet het ook niet, Syl,' zei Emmy die lui onderuit gezakt in haar stoel lag. 'Ach, misschien wil ze de boel al een beetje in orde maken, je weet hoe ze is,' opperde Kate. 'Bettie voelt zich altijd en overal verantwoordelijk voor en als wij bij binnenkomst een lichte blijk van afkeuring zouden tonen, zou ze zich dat onmiddellijk aantrekken.'

'Mm, daar heb je wel gelijk in. En eigenlijk is het wel zo makkelijk voor ons. We hoeven straks alleen maar aan te schuiven en onze koffers in onze kamer te deponeren, mijn liefje wat wil je nog meer.'

'Dat jij wat minder lui bent, mijn beste Sylvia! Er komt vast een lijst op de koelkast te hangen waarop onze taken voor de komende tijd zullen staan. We zijn met zijn vieren dus alle hens aan dek. Maar kom meiden we gaan er weer vandoor.' 'Kate betaal jij, dan rekenen we straks wel af als we geld in de huishoudpot moeten storten.'

Kate knikte en ging naar binnen om af te rekenen. Sylvia en Emmy liepen alvast naar de parkeerplaats.

'Niet erg milieuvriendelijk,' Emmy leunde tegen haar auto, 'we gaan alle vier met onze eigen auto naar het huisje in plaats van dat we met elkaar meerijden.'

Sylvia zat op de bestuurdersplaats in haar auto met haar armen op het stuur geleund.

'Dat is wel zo, maar we hadden nooit alle bagage in één auto kunnen stouwen. En het is zoals Bettie zei; als er onverhoopt toch onenigheid zou ontstaan en er iemand naar huis wilde kon dat

9

alleen maar op deze manier. Dus daarom rijden we ieder in onze eigen wagen.' Kate was inmiddels ook in haar auto gestapt en achter elkaar aanrijdend vervolgden ze hun weg.

Bettie was inmiddels druk bezig de boodschappen een plaatsje te geven. Het huis zag er schoon en netjes uit, dat had ze als eerste gecontroleerd. Wel had ze uit gewoonte een doekje over de beide toiletten gehaald en wat serviesgoed en bestek afgewassen. De appeltaart was in punten gesneden en alles voor de koffie stond klaar. De bloemen die Bettie had meegebracht waren creatief in een aardewerk pul geschikt en op de eettafel gezet. Het zag er gezellig uit, vond ze. Naast de huiskamer, die uitkeek over de bollenvelden, waren twee eenpersoonskamers met daarnaast een grote berging waarin een wasmachine en een droger stonden. In de berging konden ook alle lege koffers worden opgeborgen, en dan was er nog ruim plaats over. Bettie had voor vier kleine wasmanden gezorgd zodat ieder daar zijn eigen vuile was in kon doen. Naast de berging lag een tweepersoonskamer met twee aparte bedden.

In het verlengde van de huiskamer was een open keuken, en daarnaast lag de badkamer met een bad en toilet. Aan de andere kant van de keuken was nog een kleine doucheruimte met een vaste wastafel. Een tweede toilet was in het halletje als je binnenkwam. Al met al ruimte genoeg. Bettie liep tevreden naar de keuken terug met de hond achter zich aan. Duke had op zijn manier het huis bekeken door alles te besnuffelen en het had ook zijn goedkeuring.

Bettie had de eerste eenpersoonskamer genomen die iets groter was dan de andere. Maar omdat de hondenmand er moest staan vond ze het billijk die kamer te nemen. Ze had haar koffer al leeggeruimd en alles een plaatsje gegeven. Duke was een aantal keren in en uit zijn mand gegaan en gelukkig had het zijn goedkeuring en bleef hij in zijn mand zolang de slaapkamerdeur maar openbleef.

Een luid getoeter verbrak de middagstilte en Duke vloog nu

blaffend en grommend zijn mand uit naar de deur.

'Rustig Duke, goed volk,' Bettie deed de deur open en werd door drie paar armen tegelijk omhelst. Duke was jaloers op al die aandacht en wrong zich er blaffend tussen. Het leek wel een heksenketel, zoveel herrie als een paar mensen plus hond konden produceren. Tassen werden in de hal gesmeten, dat kwam later wel. En met zijn vieren de armen om elkaar heen geslagen gingen ze de huiskamer in.

'Heerlijk, ik ruik de koffie al,' gilde Sylvia enthousiast en liet zich in een gemakkelijke stoel vallen. Ook Emmy plofte in een stoel en ze lieten het aan Bettie en Kate over om verder voor de koffie te zorgen. Het zou een bekend verschijnsel worden, twee die zorgden en twee die het zich lieten aanleunen. Maar daar werd uiteraard al spoedig een stokje voor gestoken.

'Het ziet er gezellig uit,' mompelde Sylvia die van haar koffie met taart genoot. 'Hoe zit het met de kamers, daar heb ik eigenlijk helemaal nog niet naar gevraagd, hebben we allemaal een eigen kamer?'

'Nee, als jullie het goed vinden slapen jij en Emmy op één kamer. De kamer is behoorlijk groot en geriefelijk. Compleet met een bureautje met een spiegel erboven en een kleine tv. Het is neem ik aan de ouderlijke slaapkamer. Kate en ik hebben een kleine eenpersoonskamer met alleen een bed, nachtkastje en kledingkast. Een stuk minder luxe mag ik wel zeggen.'

'Mm, ik had graag een eigen kamer gehad,' liet Sylvia weten.

'Het was aardiger geweest als we erom getost hadden,' liet ook Emmy zich horen.

'Ach, zeur niet zo, begint het nu al,' zei Kate geïrriteerd. 'Als het een probleem wordt slaap ik wel bij een van jullie. Bettie houdt in ieder geval de kamer die ze nu heeft, tenslotte heeft ze Duke bij zich. Of jullie moeten het gesnurk en gehijg de hele de hele nacht willen aanhoren?' Het had het gewenste resultaat want daar had natuurlijk niemand zin in. Bovendien waren ze een beetje beducht voor de vaak scherpe tong van Kate.

Na de koffie trok ieder zich in hun kamer terug. Kate had Bettie een knipoog gegeven toen de twee anderen gedwee de kamer verlieten.

'Wat denk jij Kate, houden die twee het met elkaar uit?'

'Ik weet het niet en ik maak me er ook niet druk om. Ze kunnen ieder op hun eigen manier aardig zeuren dus dat doen ze dan maar als wij er niet bij zijn. Wat wil je, zal ik de huishoudknip beheren, jij neemt al genoeg op je schouders.'

'Ik vind het best, Kate, doe jij dat maar. Zullen we er per week geld in doen dan blijft het overzichtelijk. Voorlopig vijftig euro per persoon want het is al maandag. Zaterdag wordt het opnieuw bekeken. Voor vandaag heb ik alles meegenomen.'

'Dat moet jij voor jezelf dan in mindering brengen,' besliste Kate.

'Ben je mal, zoveel was het niet en bovendien heb ik gewoon wat in mijn voorraadkast gegraaid.'

'Ja, ja, ik ken je smoesjes, maar dat moet je zelf dan maar weten.'

Kate verdween ook in haar kamer om uit te pakken en Bettie bleef tegen de deurstijl geleund haar gezelschap houden. Op een gegeven moment wenkte ze Kate en legde haar vinger op haar lippen. Uit de grote slaapkamer klonk gekrakeel van de andere twee vriendinnen.

'Waarom gooi jij je tas onmiddellijk op het bed bij het raam,' klonk de verontwaardigde stem van Emmy, 'wordt er helemaal niets meer aan mij gevraagd? Mijn uitzicht is een grote bruine kast.'

'Ik slaap altijd aan de raamkant, Em, wat hindert dat nou. Je hebt 's nachts toch je ogen dicht.'

'En jij slaapt met je ogen open… Ik mag dan de jongste zijn maar ik hoef niet alles te pikken wat jullie beslissen.' Ze gooide haar rugzak leeg op het andere bed en smeet de spullen op de planken. Daarna gooide ze de lege rugzak de keuken in. Ze ging op het bed zitten en staarde voor zich uit. 'Neem jij het hanggedeelte maar, ik heb dat niet nodig.'

'Nee, dat zie ik,' zei Sylvia laconiek. 'Heb je de zak van Max geleegd? Kind wat een armoedige troep. Op les ging je een stuk leuker gekleed. In de berging staan een strijkplank en strijkijzer dan kun je er nog iets behoorlijks van maken.' Sylvia keek met een gevoel van afkeer naar de grauwe bundel kleren die op de planken gegooid was.

'Ach, stik jij, verwend kindvrouwtje.'

'Zo, dat begint goed,' grijnsde Kate. 'Ik begrijp de houding van Emmy niet, volgens mij provoceert ze gewoon. Ze is een kind van uitersten. Ik ben benieuwd of we deze weken zullen horen wat de reden achter dit alles is. Ziezo, ik ben klaar met uitpakken. Ik zal moeten proberen wat meer sfeer in mijn kamer aan te brengen want nu heb ik het gevoel in een nonnenklooster te zijn ondergebracht. Hoe ziet het er bij jou uit?'

Ze liep met Bettie naar haar kamer en de uitdrukking op haar gezicht verzachtte wat. 'Het is echt een Bettie kamer, hoe krijg jij het toch altijd voor elkaar om overal je eigen sfeer te creëren? Een fleurig dekbed, wat losse kussentjes, een kleedje over het nacht-kastje en een vaasje bloemen erop. Wat toiletartikelen op het randje… Bettie je bent een kei.'

'Dat kun jij ook, Kate, maar het moet wel de sfeer blijven die bij jouw persoon past. Kom, we gaan kijken of Em haar bui is over-gewaaid.'

Ze schoten in de lach toen ze een vertederend tafereeltje aantrof-fen. Emmy lag languit op de grond met haar armen om de hond heen die alle moeite deed haar onder zijn liefdesbetuigingen te bedelven. Giechelend slingerde ze haar haren naar voren, waarop de hond opnieuw een aanval deed op haar gezicht. Het spel was afgelopen toen Duke zijn vrouwtje ontwaarde en hij liet Emmy trouweloos aan haar lot over.

'Wat is het toch een schat, Bettie, we zijn vriendjes geworden hè?' Ze gaf hem een paar waarderende tikjes op zijn rug. Bettie was naar de keuken gelopen en haalde de stoofschotel uit de koelkast. Het kon nog wel een poosje op een laag vuurtje verder garen. De stokbroden lagen op de eettafel.

'Wat heb je er verder bij behalve stokbrood?' vroeg Emmy.

'Hoe bedoel je, ik heb er twee gekocht dat moet wel voldoende zijn dacht ik.'

13

'Ja, maar het is wit brood en dat eet ik niet. Heb je geen rijst meegebracht?'

'Nee, Em, ik heb er niet bij stilgestaan dat jij geen witbrood eet, anders had ik wel een bruin stokbrood meegebracht. Verder maak ik er een salade bij voor de nodige vitaminen. Een toetje heb ik ook niet want ik weet niet waar jullie van houden.'

'Mm, dan ga ik straks wel een supermarkt zoeken voor een pak rijst.'

'Doe niet zo moeilijk, Em,' mengde Kate zich in het gesprek, 'je gaat echt niet dood als je een keertje wat anders eet.'

'Nee, misschien niet, maar wat is er mis mee dat ik een supermarkt wil zoeken, dat is wel zo makkelijk voor morgen als we boodschappen gaan doen. Gaan jullie gezellig mee, dan verkennen we gelijk de omgeving een beetje, het is pas halfvier.'

'Wat gaan we verkennen?' Sylvia kwam de kamer binnen en legde haar fototoestel en haar mobieltje op de salontafel.

'Emmy wil naar een supermarkt voor een pak rijst en ze wil dat iedereen meegaat om de omgeving te verkennen,' herhaalde Kate de woorden van Emmy.

'Wel een goed idee,' vond Sylvia, 'er moet meer te beleven zijn dan alleen een bollenveld voor de deur.'

'Gaan jullie maar, dan blijf ik bij de hond want die wil ik niet gelijk alleen laten.' De werkelijke reden was dat Bettie hoofdpijn voelde opkomen. Dat was op zich niet zo erg maar het ging meestal gepaard met een zwaar gevoel van vermoeid zijn. Kate keek haar opmerkzaam aan: 'Zal ik je gezelschap houden?'

'Welnee, er is niets aan de hand. Ik hoor wel wat er voor opwindende dingen te beleven zijn de komende weken.'

'Emmy trok een komisch ongelovig gezicht en voelde even aan Betties voorhoofd of het siste. 'Ik denk dat een koe op de weg wel de meest opwindende gebeurtenis zal zijn hier in de omgeving.'

'Ja, of een kudde tulpenbollen die protesteren tegen de drukte op het veld.' Sylvia schudde van het lachen en de anderen lachten braaf mee.

Bettie hield de deur open: 'Wegwezen jullie en succes met jullie missie.' Ze sloot de deur achter hen en ging naar de badkamer om haar medicijnen in te nemen. In haar slaapkamer sloot ze de gordijnen maar liet wel het raam open, ze had behoefte aan wat frisse lucht. Met een zucht vlijde ze zich op haar bed. Ze diepte een dunne fleece deken op uit haar tas die ze onder haar bed had geschoven en legde die over zich heen.

De anderen waren inmiddels weer thuisgekomen, en Kate ging even bij Bettie kijken. Ze duwde voorzichtig de deur een stukje open en bleef even staan. Kate vond Bettie, nu ze in rust was, er ouder uitzien. Het was echt haar vrolijke karakter dat haar dat speciale tintje gaf, bovendien lag er een verdrietige trek op haar gezicht. Wat wist je eigenlijk van de ander, vroeg Kate zich een ogenblik af. Oké, je had het leuk met elkaar maar altijd onder positieve omstandigheden. Ze was benieuwd hoe deze vakantieweken zouden verlopen en of ze elkaar nu echt zouden leren kennen. Ze sloot zachtjes de deur en maande de anderen nog even rustig te zijn.
'Ik laat Duke even uit, oké?' Emmy pakte de riem en ging snel met de hond naar buiten voor hij zo'n lawaai maakte waardoor Bettie wakker zou worden.
Sylvia was bezig een fles wijn open te maken en Kate legde wat Franse kaas en toastjes op een bordje.
'Toch wel leuk, hè,' zei Sylvia vergenoegd, 'ik verheug me echt op deze vakantie. Het is vreemd, we zijn al in zoveel landen geweest, en toch kun je op zoiets simpels als dit je als een kind verheugen.' Ze pikte alvast een toastje. 'Ik hoop dat Bettie zich wat beter voelt anders valt voor haar de eerste avond al in duigen.'
'Praat niet met volle mond, meisje,' klonk opgewekt de stem van Bettie. 'Ik voel me weer kiplekker en heb trek in een wijntje met toebehoren. Nee, Kate, ik neem met de medicijnen maar één glaasje, maak je niet bezorgd.' Ze glimlachte lief naar Kate, die haar inderdaad enigszins bezorgd aankeek.
Inmiddels was Emmy terug met de hond die zich onmiddellijk met enthousiasme op Bettie stortte.

'Wat zijn dieren toch trouw,' lachte Emmy, 'en altijd blij je weer te zien.'

'Wil je ook wijn, Em?' vroeg Sylvia.

'Nee, doe mij maar een sapje. Je weet, ik ben niet dol op alcoholische dranken.'

'Schenk het dan maar zelf in, voor zoiets sta ik niet op!'

'Wat een onzin, Syl, ieder zijn eigen mening, hoor!' Kate keek haar bestraffend aan en schonk wat in voor Emmy, die dankbaar het glas aanpakte.

'Bettie, vind jij het goed als ik me deze weken een beetje over de hond ontferm, ik vind het echt een schat van een beest.'

'Dat is goed hoor, kind, Duke legt ook een duidelijke voorkeur voor jou aan de dag. Hij is wel makkelijk in de omgang en zal niemand aanvliegen, maar hij heeft toch wel door of je een dierenvriend en goed volk bent. Hebben jullie thuis altijd dieren gehad, Em?'

Emmy schokschouderde en keek stug de andere kant op. 'Nee, niet echt,' klonk het toen schamper.

'Was je enig kind, en wat deed je vader?'

'Hallo, is dit een interview, ik houd daar niet zo van.'

'Ik had het idee,' zei Bettie zachtzinnig, 'om deze weken elkaar wat beter te leren kennen.'

'Sorry, Bettie, ik bedoel het niet zo kwaad maar het is altijd net of jullie op een andere manier naar mij kijken.'

'Dat is je eigen schuld,' meende Sylvia, 'je gedraagt je vaak ook zo anders, provocerend in mijn ogen. Kijk nou naar vanmiddag toen we onze spullen gingen opbergen. In plaats van je kleding uithangen en de rest netjes op de planken te leggen gooide jij alles op een hoop en mieterde het zo de kast in. Het leek wel of je een zak bij het Leger des Heils of zoiets had opgehaald. Op cursus zag je er meestal toch wel wat beter uit, zij het dan armoedig.'

'Is dit de toon waar ik deze weken op kan rekenen? Dan ben ik zó weg hoor!' Woest wilde Emmy naar haar kamer verdwijnen.

'Ga zitten, Em,' Kate duwde haar weer op haar stoel terug. 'Bettie had bedacht dat het wel een uitdaging zou zijn elkaar deze weken af en toe de waarheid te zeggen, zij het dan zonder de ander moedwillig te willen kwetsen. Vaak draaien we eromheen en bedenken dan een antwoord dat ons beter uitkomt. Als je je aangevallen voelt over iets ga dan niet meteen in de verdediging maar probeer uit te leggen waarom je het zo voelt. We hebben allemaal onze gebreken, onze goede en slechte eigenschappen en onze irritaties. Gelijk op de barricade klimmen kweekt een vijandige stemming. We zijn vrienden, hoe verschillend we ook zijn, en het is best spannend om erachter te komen waarom iemand is zoals hij is,' eindigde Kate haar betoog.

Bettie nam het gesprek weer van haar over. 'Ik heb ook steeds het gevoel gehad dat we op de een of andere manier allemaal wel wat te verbergen hebben, positief of negatief. Nogmaals, heel belangrijk in dezen is dat we elkaar niet moedwillig pijn doen of kwetsen. Als ik nou aan jou vraag waarom je nijdig werd op Sylvia, wil je daar dan op antwoorden?'

'Hè bah, wat een rot spelletje. En waarom gelijk mij aan de tand voelen?'

'Nu ga je alweer in de verdediging en dat is niet de opzet van ons.'

Emmy zuchtte verongelijkt en keek het kleine kringetje rond. Sylvia ging er eens goed voor zitten wat natuurlijk weer verkeerd viel bij Emmy.

'Jij komt ook aan de beurt hoor, poezelientje, verheug je maar niet op mijn afgang.'

Bettie schonk nog wat in en gaf Emmy een aai over haar hoofd. 'Oké, enfant terrible, houd je niet van leuke kleren en wat make-up en is dat altijd zo geweest?'

'Ja, dat is altijd zo geweest, en voorlopig wil ik het hier liever bij laten. Ik ben er nog lang niet aan toe om door jullie mijn doopceel te laten lichten. Bovendien weet ik helemaal niet of ik het wroeten in mijn verleden wel zo aangenaam vind. Hoe jullie erover denken zal me een zorg zijn.' Nijdig schoof ze haar stoel achteruit en wilde de kamer verlaten, maar Kate nam haar opnieuw bij de arm en trok haar naast zich op de bank.

'Oké, Em, we komen er misschien later nog op terug. Nu gaan we de tafel dekken en zorgen dat we wat te eten krijgen. Jij bent een kei in het fabriceren van een heerlijke salade heb je verteld dus ga je gang. Nee, Bettie, jij blijft zitten want jij hebt je gister al druk genoeg gemaakt met het eten. Kom op, Syl, steek ook je handjes uit de mouwen.'

Binnen twintig minuten zaten ze aan tafel en de stoofpot die Bettie had gemaakt verdween al heel snel. Emmy ving de blik op van Sylvia om de matige hoeveelheid die ze op haar bord had liggen, afgezien van een berg salade.
'Zeg het maar, Syl, ik zie je brandende blik zich op mijn bord vasthechten.'
'Nou ja, ik vroeg me af of je wel genoeg te eten hebt gehad in je leven want je ziet er niet echt supergezond uit vind ik. Word nou niet boos want ik bedoel het niet hatelijk. Ik heb het idee dat je om wat voor reden dan ook jezelf al jaren tekortdoet.'
Het was kennelijk een schot in de roos want Emmy kleurde gevoelig maar at onverstoorbaar verder.
'Gaan we zo aan de koffie?' vroeg Bettie om de stemming niet weer te laten afzakken.

Na het eten ruimden Bettie en Kate de tafel af en zetten alles klaar voor de koffie. Sylvia spoelde de vaat en Emmy vulde de machine.
'Laat het wel uitlekken, Em, voor je het erin zet, alles drupt op de grond.'
'Doe het dan zelf, pietje precies. Ik haal zo wel even een mop door de keuken. Weet je wat, ga de keuken maar uit ik doe het wel alleen.'
Sylvia gooide het sponsje en het doekje neer en waste haar handen. 'Ga vooral je gang, mijn beste!'
Ze liep naar het zitgedeelte waar ze twee geamuseerde vriendinnen zag zitten.
'Ja sorry, Syl, jullie zijn net twee boze zusjes, zo ging het ten-

minste bij ons vroeger als mijn zus en ik de afwas moesten doen,' lachte Bettie.

'Ergerden jullie je ook op les zo aan elkaar, ik kan me dat niet echt herinneren,' zei Kate toen ze aan de koffie zaten. 'Soms wel,' zei Sylvia eerlijk, 'maar ik zei het niet altijd hardop en volgens mij deed Em dat ook niet.'

Emmy grijnsde een beetje vals: 'Goed gezien, Syl. Maar ik heb absoluut geen hekel aan jou, het is vaak prettig een uitlaatklep te hebben en dat is hier het geval. We zouden openhartig onze menig geven, dus bij dezen. Ik vind jou vaak een verwend kindvrouwtje en als je in zo'n stemming bent erger ik me dood aan je. Je hebt nota bene drie kinderen, ik neem aan dat die dat niet tolereren, en je man ook niet.'

'Nou, nou, je schiet wel lekker uit je slof zeg. Maar ja, ik heb jou ook niet gespaard dus vergeef ik het je bij dezen.' Ze knikte genadig naar Emmy waardoor Kate en Bettie hartelijk in de lach schoten.

'Ja, lachen jullie maar, je komt evengoed deze vakantie aan de beurt. Er liggen voor jou, Kate, heel wat vragen op het puntje van mijn tong.'

'Daar twijfel ik niet aan, Sylvia,' klonk het droog, 'je bent altijd al heel nieuwsgierig naar mijn leven geweest. Maar alles op zijn tijd. We hebben met jullie een begin gemaakt en we doen het rustig aan. Iedere dag een uurtje uittrekken voor onze zelfbespiegeling is wel voldoende, anders huren we Dokter Phill wel in, want dan wordt het mij te vermoeiend.'

Zo ging het altijd bij Kate, je wist nooit precies wat ze bedoelde met haar uitspraken.

'Wat willen jullie morgen gaan doen,' liet Bettie zich eindelijk horen. 'Maken we een opzet met onze schilderstukjes of zullen we wat gaan toeren in de omgeving?'

'Toeren,' besloot Emmy kort en bondig, 'iedereen het er mee eens?'

'Vrij overbodig het ons te vragen als jij je besluit zo krachtig weergeeft. Maar het lijkt mij evengoed leuk. Ik ken deze omgeving eigenlijk niet,' antwoordde Sylvia en ze rekte zich even uit. 'Bettie, ik ga Duke uitlaten, de lucht betrekt aardig.' Emmy stond op en Duke die zijn naam hoorde schoot verheugd overeind.

'Dat is goed. Het is jammer dat hij niet los kan want het voetpad ligt zo dicht aan de autoweg. Morgen maar een grasveldje ergens opzoeken waar hij veilig kan rennen. In de tuin kan het gelukkig wel omdat er een vrij hoge heg langs loopt en er een sloot tussen het bollenveld en de tuin ligt.

Emmy was nog geen kwartier met de hond terug toen opnieuw een hevige onweersbui losbrak.

'Als het zo doorgaat verdrinken de bollen nog voor ze de kans krijgen helemaal uit te komen,' zei Bettie somber. 'We hebben nog niet eens buiten gezeten, gelukkig staat het tuinstel nog in de berging anders vloog het nu door de lucht.'

Kate begon te lachen: 'Het is onze eerste dag, kinderen, niet zo negatief alsjeblieft. Willen jullie het onweer buitensluiten, dan laat ik de lamellen zakken.'

'Houdt het de donder dan ook tegen, anders mogen ze van mij wel openblijven.'

'Dopjes in je oren als je niet tegen het geluid van de donder kan. Ben je er bang voor?' vroeg Emmy toen nieuwsgierig aan Sylvia.

'Laat ik zeggen dat ik er nerveus van word, zeker als de klap direct na de bliksem komt.'

Dat kon iedereen zich indenken en er ontstonden allerlei verhalen die met onweer hadden te maken. Ze hadden ieder voor zich wel-eens noodweer meegemaakt. De een in eigen land en de ander ergens in het buitenland.

Bettie zat geboeid naar buiten te kijken. Boven het open veld was het spektakel goed waar te nemen. De meeste bliksem sloeg in de grond maar wanneer het horizontaal was verlichtte het de hele omgeving. Sylvia zat er demonstratief met haar rug naar toe en kromp bij elke slag een beetje in elkaar. Plotseling begon ze te huilen, Bettie ging naast haar zitten en sloeg een arm om haar heen.

'Ik heb jaren terug een verschrikkelijk nare ervaring meegemaakt,' snikte Sylvia overspannen. 'We waren op een van de eilanden toen er een hevig noodweer losbarstte, zomaar van de ene op de andere minuut. Het ging gepaard met heftige windstoten en er vloog van alles door de lucht. Niemand was er op voorbereid dus je kunt je voorstellen wat een chaos er heerste. Tenten vlogen door de lucht, nou ja, het was echt spookachtig. Maar het ergste komt nog. Een gezin met een meisje en een jongetje ploeterde tegen de storm in om een veilig heenkomen te zoeken. Plotseling werd het jochie door een wervelende windvlaag opgepakt en ergens verderop neergekwakt. Toen de ouders en omstanders eindelijk het kind bereikten bleek het niet meer te leven. Je zag niets aan hem maar hij was met de zijkant van zijn hoofdje op een betonnen plaat terechtgekomen. Toen de ambulance arriveerde konden ze niets meer voor het kind doen, het was op slag dood geweest. Altijd met hevig onweer komen de beelden terug, sorry!'

'Ben je mal, kind, met je sorry,' Kate nam Sylvia's handen stevig tussen die van haar. 'Je zou wel heel onmenselijk zijn als je zo'n gebeurtenis zomaar kon vergeten.'

'Ik zie steeds dat rode koppie haar en het smoeltje vol met sproeten. Het was zo'n leuk joch.'

Ze huilde hartverscheurend en de anderen hadden het idee dat ze zich nooit had kunnen uiten op deze manier. Toen ze wat was bedaard vertelde ze verder over de trieste gebeurtenis.

Het onweer was inmiddels afgenomen tot wat flitsen en vaag gerommel.

'Was je man erbij toen dat gebeurde?' vroeg Kate, 'want ik begrijp uit je verhaal dat het plaatsvond voor je kinderen waren geboren.'

Sylvia knikte. 'Ik moest er mijn vakantie niet door laten beïnvloeden zei Frits, zulke dingen konden nu eenmaal gebeuren.'

'Juist ja,' zei Emmy bitter. 'Typisch een reactie van een man. Dus als ik het goed begrijp heb je hier al die jaren mee rondgelopen zonder het te verwerken.'

Sylvia knikte en met een licht gebaar raakte ze de knie van Emmy

21

aan. 'Mijn ouders vonden het wel heel erg, maar als je er niet bij bent geweest reageer je anders. Wel hadden ze het op het journaal gezien. Ik heb altijd geprobeerd mijn angst voor onweer te verbergen voor mijn kinderen. Niemand is er mee gebaat om met die angst te worden opgezadeld. Mijn zoons vinden het zelfs altijd heel spannend, en staan het liefst voor het raam te kijken, alleen mijn dochter moet er niet veel van hebben al is ze niet echt bang. Maar bedankt dat ik het eindelijk heb mogen uiten, het lucht me enorm op. En nu wil ik wel een bak sterke koffie daar zijn we allemaal wel aan toe,' besloot ze met een waterig lachje.

Het was Kate die er gehoor aan gaf. Peinzend maakte ze alles voor de koffie in orde. Arme Sylvia, wat school er allemaal achter dat verwende uiterlijk van haar. Ook weer zo'n geval van miskenning.

Na nog een uurtje tv gekeken te hebben, er was een documentaire die ze alle vier wel wilden zien, nam Sylvia een uitgebreid bad en verdween Emmy naar de slaapkamer. Het waren toch weer Kate en Bettie die de boel opruimden.

'Zal ik de tafel vast voor morgenochtend dekken?' vroeg Bettie, 'dat is misschien wel zo handig.'

'Mm, dat kun je doen. Maar met zijn allen moet het toch een fluitje van een cent zijn om het ontbijt in orde te maken. Het moet niet zo zijn dat wij er steeds voor opdraaien.'

'Nee, oké, dat ben ik wel met je eens, maar ik vind het niet erg om te doen. En je weet niet of die andere twee langslapers zijn.'

'Er moeten afspraken gemaakt worden, Bettie. Ze hoeven niet voor dag en dauw op te staan maar zo rond acht uur of halfnegen dat is toch een redelijke tijd. Is jouw man ook iemand uit de categorie waar Emmy het over had?' vroeg Kate opeens. 'Ja,' antwoordde Bettie kortaf en ze bukte zich om de koffiekopjes in de afwasmachine te zetten. 'Neem jij nog een bad voor je naar bed gaat? Ik wil wel nog even douchen.'

'Ik neem ook een snelle douche en duik er dan in. We hebben weinig gedaan en toch ben ik moe,' verklaarde Kate.

'Ik voel hetzelfde, al heb ik vanmiddag nog even geslapen toen jullie weg waren.'

Sylvia lag al in bed toen Emmy haar spullen pakte om te gaan douchen. Ze hadden met zijn drieën besloten dat Emmy de douche die naast de keuken lag tot haar beschikking zou krijgen. In de badkamer aan de andere kant waren een bad en een douche, daar maakten de andere drie gebruik van.

Emmy kleedde zich uit en deed de douchedeur open. Ze begreep best waarom ze zo bereidwillig naar haar toe waren geweest. Ze vonden haar slordig en ze merkte ook dat ze een beetje vies van haar waren. Nu zouden zij het niet zo verwoorden maar het kwam op hetzelfde neer. Er hing een grauwsluier over haar persoontje en daar was ze zich echt wel van bewust. Aarzelend ging ze met haar handen langs haar lichaam. Het was heel lang geleden dat haar handen contact hadden gemaakt met haar lijf. Ze voelde de uitstekende botten van haar heupen en heel licht streek ze langs haar borsten. Het zijn nauwelijks borsten, dacht ze bitter, ze wist dat ze een jongensfiguur had zoals iedereen haar vertelde. Haar nichtje hamerde er steeds op dat ze zich wat vrouwelijker moest kleden. Ze kon met haar wat hoekige figuur er net zo goed aantrekkelijk uitzien. Dat aantrekkelijk zijn het laatste was wat ze wilde, ging niemand iets aan. Haar handen gleden nu over haar billen en dat was eigenlijk het enige deel van haar lichaam waar ze tevreden over was. Ze waren stevig, hoog en rond. Maar haar benen waren te mager, evenals haar armen en handen. Verder durfde ze zichzelf niet aan te raken. Boos pakte ze de flacon shampoo en wreef de vloeistof verwoed door haar haren. Snel spoelde ze de shampoo eruit en draaide de douchekop zó dat het water met een harde straal haar lichaam geselde. Toen wreef ze zich droog met een handdoek die hard was en betere tijden had gekend. Ze pakte haar slip van de wastafel, trok een T-shirt van bovenmaats formaat erover aan en ging naar bed.

'Moet je je haar niet droogföhnen?' klonk het vanuit het andere bed.

23

'Bemoei je er niet mee.' Nijdig draaide Emmy haar gezicht naar de kast.

Sylvia lag op haar rug met haar handen onder haar hoofd. Wat was Emmy toch een vreemd geval. Ze kon vaak zo cru reageren op wat je zei, en ze bedoelde het toch goed deze keer. Ze vroeg zich af of ze morgen zou proberen een andere kamer te krijgen of dat iemand anders op haar kamer kwam slapen. Maar wie zou ze dan als slapie willen hebben? Kate? Nee, toch maar niet. Ze voelde zich meestal wat onzeker in haar buurt. Ze kon je zo strak aankijken als je iets vertelde waarvan zij het waarheidsgehalte niet erg hoog schatte, en dan keerde ze zich om met een spottend gebaar. Toch was ze vanavond erg meelevend geweest tijdens het onweerverhaal. Bettie dan, nee, ook zij niet want ze moest er niet aan denken de hele nacht het gesnurk en gehijg van de hond aan te moeten horen. Bovendien rook een hond altijd, al was je nog zo schoon op het dier. Dan toch maar tevreden zijn met het gezelschap van Emmy. Maar ze was zo slordig… Een eigen kamer dan. Ze wist dat ze dat wel uit haar hoofd kon zetten. Bettie en de hond, daar was geen andere oplossing voor. En Kate samen met Emmy, nee dat kon ze ook wel schudden. Ze zuchtte eens diep en draaide zich naar het raam. Ze zou zich maar schikken in haar lot, er zat niets anders op.

De volgende ochtend schoof Emmy heel zachtjes uit haar bed. Ze nam haar kleren mee naar de kamer en kleedde zich daar aan. Duke kwam op het geluid af en rekte zich kreunend uit. Vlug deed Emmy de deur van het slot en lijnde de hond aan. Tevreden liepen ze naast elkaar in de ochtendstilte. Nadat Duke zijn behoefte had gedaan en alle bomen die ze tegenkwamen met zijn geurvlag had besproeid, liepen ze uitgelaten rennend terug naar huis. Emmy liet de hond in de tuin en gaf hem daar zijn bak water en brokjes. In de keuken waste ze haar handen en maakte verder de ontbijttafel in orde. De koffie geurde en de eieren stonden te borrelen in de steelpan. Ze schonk een vers sapje in de glazen, en toen overzag ze met een tevreden gevoel de gedekte tafel.

Voorzichtig keek ze om het hoekje bij Bettie die net haar ogen open deed.

'Ruik ik het goed,' zei die verlekkerd, 'is het echt een koffiegeur die mijn neusgaten binnenkomt?' Ze gleed uit bed en Emmy reikte haar haar ochtendjas aan.

'De hond is ook al uitgelaten en amuseert zich nu in de tuin. Kom maar gauw anders is de boel verpieterd.'

Kate was inmiddels ook op de geur afgekomen en prees Emmy om haar sympathieke geste op deze eerste volledige vakantiedag.

Uiteraard had Sylvia gewacht tot ze enig gerucht hoorde dat er al iemand bezig was met het ontbijt. Ze was zeker niet van plan er als eerste uit te gaan. Nieuwsgierig keek ze even om het hoekje van de douche van Emmy en haalde toen vol afgrijzen haar neus op.

Alles lag in het nat op de grond, de kleren van de vorige dag, de handdoek, getver... wat was het toch een viespeuk. In de douchebak lag een dotje haren en snel sloot ze de deur. Wat was ze blij dat zij geen gebruik hoefde te maken van deze douche.

Ze hoopte maar dat Emmy, voordat ze aan de ontbijtboel begonnen was, haar handen had gewassen.

'Wat kijk jij misprijzend,' merkte Kate op die koffie inschonk voor de liefhebbers.

'Dat zou jij ook doen als je een kijkje in de douche van Emmy had genomen. Wat een smeerboel, Em, ik hoop wel dat je de troep zometeen opruimt.'

'Ten eerste, waar bemoei je je mee, jij hoeft er helemaal niet te zijn, toch? En ten tweede, morgen is het jouw beurt om alles voor het ontbijt in orde te maken.' Dit laatste zei ze om te pesten want ze wist dat Sylvia een gruwelijke hekel had aan vroeg opstaan.

'Eet smakelijk, kinderen,' redde Bettie de ochtendbijeenkomst. 'Het ziet er heerlijk uit, bedankt, Em. Lief van je om als eerste op te staan. Ze heeft ook al een stuk met Duke gelopen,' voegde ze er ten overvloede aan toe.

Sylvia zweeg beledigd, het was toch logisch geweest als de anderen het met haar eens waren dat Emmy een beetje een viespeuk was.

'Je hoeft je neus niet op te trekken, Sylvia, je zult het geloven of niet maar ik heb mijn handen uitvoerig gewassen toen ik met Duke thuiskwam. Dus je kunt zonder gevaar voor je gezondheid gewoon gaan ontbijten.' Het klonk zonder meer hatelijk maar dat had Sylvia ruimschoots verdiend. 'Weet je trouwens dat je snurkt als een os,' voegde ze er met genoegdoening aan toe. 'Ik ben even bij je wezen kijken vanwege die rare geluiden, maar dat komt, denk ik, omdat je met je mond open slaapt, niet echt een fraai gezicht mag ik wel zeggen.'

'Zo kan ie wel weer, lieve vriendinnen. De ochtendstond heeft goud in de mond, ooit van gehoord misschien?' gaf Bettie hen een reprimande.

Emmy lachte beminnelijk naar Bettie die haar hoofdschuddend aankeek.

'Eet je niet een beetje veel, Em, dat zijn we niet van je gewend,' sneerde Sylvia.

'De natuur en de buitenlucht tezamen geeft je een gezonde trek. Neem nog wat toast, Syl, de hitte heeft alle bacteriën gedood als die er misschien in waren achtergebleven.'

Toen was het met de ernst gedaan. Bettie en Kate barstten in lachen uit en Emmy zelf had de grootste lol. Sylvia zag wel in dat haar gedrag enorm kinderachtig was en ze lachte toen maar mee al ging het niet echt van harte.

HOOFDSTUK 2

Nadat de ontbijtboel was opgeruimd besloten ze eerst thuis nog een kop koffie te drinken. Tijdens de koffie bespraken ze waar ze naar toe zouden gaan.

'We kunnen door de bollenvelden richting Breezand en eventueel langs de kust terug. Wel moeten we er rekening mee houden dat we ook nog boodschappen moeten doen,' stelde Bettie voor. 'Maar voor we gaan, ruimen we nog even onze slaapkamers op. En dat geldt speciaal voor jullie, Sylvia en Emmy. In de berging heb ik voor ieder een kleine wasmand neergezet met jullie naam erop. Draai om de beurt een was zodat je niet allemaal tegelijk de wasmachine wilt gebruiken.'

'We moeten vanavond wel een paar regels opstellen, lieve meiden,' viel Kate in, 'want het moet niet zo zijn dat Bettie en ik voor alles opdraaien. De badkamers en toiletten moeten bijgehouden worden en er moet af en toe ook een stofzuiger doorheen geslingerd worden. Als we het om de beurt doen is er niets aan de hand. Ja Sylvia, je kunt je neus optrekken maar dat helpt je niet. Jij en Bettie hebben allebei een hulp in huis, en ik ook, maar zoals je weet ontbreekt die hier, dus we moeten zelf onze handen uit de mouwen steken. Koken doen we ook bij toerbeurt en de rest gebeurt zoals het uitkomt. Oké, gooi de bedden dicht dan kunnen we zo vertrekken.'

Sylvia verdween mokkend richting slaapkamer en Bettie nam Emmy even apart. 'Hang de natte spullen uit de douche even op een rek in de berging, dan kan het daarna de wasmand in. Je hebt Sylvia geprovoceerd en dat is je goed gelukt, maar aan alles is een grens.'

Emmy kleurde gevoelig en gaf Bettie een spontane kus. 'Als ze allemaal waren zoals jij…'

'Dan zou het een saaie boel worden,' ze gaf Emmy een speels duwtje, 'wegwezen, jij!'

Emmy haalde vlug de spullen uit de douche en hing ze te drogen in de berging. Daarna haalde ze een dot haren uit het putje en nam alles met een doekje af. Zo zag het er weer redelijk uit. Normaal was ze echt niet zo'n viespeuk als Sylvia suggereerde. In de slaapkamer trok ze haar bed recht en schopte een tas onder het bed. Ze keek eens naar de kant van Sylvia en grijnsde vals want op het bed van haar lag een partij kleding. Overal slingerden toilettassen en andere troep. Emmy wreef vergenoegd in haar handen: 'Syl, kind, dat gebruik ik nog wel een keer tegen je.'

Eindelijk zaten ze in de auto. Ze hadden de wagen van Bettie genomen omdat die ruim was en de hond in de achterbak kon. Sylvia zat naast Bettie voorin want ze kon niet tegen dat gehijg in haar nek.

Ze reden op hun gemak door de Bollenstreek via 't Zand, Anna Paulowna naar Breezand. Onderweg stopten ze bij een gezellige uitspanning voor de onontbeerlijke koffie. Hoewel het nog vroeg in het seizoen was, was het toch al behoorlijk druk. Ook hier keken ze uit op de kleurige velden.

'Wat vinden jullie de mooiste kleurcombinatie?' vroeg Bettie in het algemeen. 'En welke bloemen zouden jullie kiezen als je het nu wilde schilderen?'

'Ik vind bonte kleuren het mooist en dan zou ik toch voor tulpen kiezen,' peinsde Sylvia.

'Je kijkt er niet erg enthousiast bij,' grinnikte Emmy. 'Ik kies voor lila en roze hyacinten. Ik vind dat een romantische kleurcombinatie.'

'Geel en vuurrood,' klonk Kate gedecideerd, 'ik houd van schreeuwende kleuren als het om tulpen gaat. Maar nu jij, Bettie!'

'Mm, tja, ik vind de kleur van een bloem niet snel lelijk. Maar rodekoolkleur en donkerbruin, ook al is het winter, trekt me niet bijzonder. Laten we morgen een begin maken met het bollenveld voor het huis. Het veld heeft een behoorlijke afmeting en heeft zo'n beetje alle kleuren die je kan bedenken.'

'Maar het zijn wel allemaal tulpen,' klaagde Emmy.

'Niet zeuren, Em, je hoeft de tuin maar in te gaan om een mooi schilderij te maken. Lekker de koffie en drankjes bij de hand, wat wil je nog meer?'

'Oké, kinderen, ik verheug me op morgen,' verkondigde Emmy blijmoedig. 'Laten we straks wat lekkers bij de koffie halen want helaas is de appeltaart van Bettie verleden tijd.'

'Dank zij jou, veelvraat die je bent!'

Iedereen schoot in de lach want bij het stukje taart dat Emmy op haar bord nam moest het niet waaien, anders was het weg.'

Richting 't Zand en Breezand waren nog de bloemenschilderijen te zien die de mensen van de dorpen ieder jaar om deze tijd maakten. Elk jaar was er een ander thema en alles werd door een vakkundige jury beoordeeld. Kleurige bloemenkorven hingen aan elke willekeurige brug en aan de lantaarnpalen. De schilderijen waren zodanig in de tuinen opgesteld dat ze vanaf de weg waren te zien, maar ook zo dat ze niet direct konden verregenen. En dat was maar goed ook na de buien van de laatste dagen.

Midden in een veld stond een bankje waar de vriendinnen genoten van de rust en het kleurenschema. Maar na een paar minuten begon Sylvia onrustig te draaien.

'Hé, Syl, zit je op een nest vlooien?' vroeg Emmy verbolgen, 'zit stil alsjeblieft.'

'Die rust maakt me onrustig,' klaagde Sylvia wat tegenstrijdig, 'ik wil geluiden horen en niet alleen maar vogels en een koe in de verte.'

'Stadskind,' plaagde Kate. 'Wat zijn dan voor jou de ideale vakanties?'

'Stedenreizen bijvoorbeeld, al hoeft het voor mij niet altijd een culturele trip te zijn. Ik hou van een boulevardje pikken, bij voorkeur in een warm land. Lekker op een terrasje wat eten en drinken, en natuurlijk winkelen. Maar het meest houd ik van een cruise of naar een heerlijk resort waar je op je wenken wordt bediend. Frits en ik hebben al heel wat van de wereld gezien mag ik wel zeggen.'

'Het zwembad en een rondje om het hotel. Wat kun je dan zien als je in zo'n duur geval zit?'

'Er zijn er wel waar je een excursie bij kunt boeken en dat doen we dan ook meestal. Het moet wel verantwoord blijven in sommige landen.'

'Wat een gevoel voor avontuur, allemaal als gansjes achter een gids aan. Mijn ideale manier van reizen is als backpacker. Je hebt je handen vrij en je hoeft niets te sjouwen.' Emmy keek opzij naar Sylvia die geïrriteerd haar wenkbrauwen fronste.

'Ja, daar kan ik me alles bij voorstellen als ik me de inhoud van je rugtas voor de geest haal. Hoe reis je dan verder, zittend op de vloer van een vuile trein door India of zo?'

'Waarom zo hatelijk, Sylvia, ieder zijn meug. Er is voor de manier van reizen van Emmy wel wat te zeggen. Ik heb een paar maal zo gereisd, door Schotland en Ierland bijvoorbeeld. Je kunt zelfs in een rugtas wel wat behoorlijke kleren kwijt. Bovendien zijn het toch meestal broeken en shirts,' zei Kate en trok bestraffend aan een krul van Sylvia.

'Jullie kibbelen aardig wat af, Syl en Em. Dat is op zich niet erg, als de toon maar vriendelijk blijft. Maar kom, we gaan weer verder aangezien de serene rust op de vlucht is gejaagd.' Bettie stond op en trok de twee vriendinnen aan hun hand van de bank. 'We gaan langs de kust terug en zien dat we ergens kunnen lunchen.'

In Callandsoog vonden ze een gezellig restaurantje met uitzicht op zee want er was zowaar een tafeltje aan het raam vrij.

'Wat heb je allemaal van Nederland gezien, Sylvia?' vroeg Bettie terwijl ze wat gerookte zalm op haar toast deed. 'Ikzelf geniet in Nederland ook altijd heel erg van een paar dagen vakantie. Er is hier zoveel moois te zien en te beleven. Al ga ik graag voor de echte vakantie wat verder weg, maar meestal wel binnen Europa.'

'Ach, dat is allemaal zo gewoon,' Sylvia maakte een vaag gebaar met haar handen. 'Ik vind Azië en Zuid-Amerika erg mooi. Maar je vroeg wat ik van Nederland vind. Tja, erg vlak en kaaltjes. De eilanden, daar ben ik vroeger een aantal keren geweest en Zuid-Limburg is ook wel aardig, maar verder… Nee, ik ben er niet kapot van. Kijk hoe grauw de zee is en hoe saai alles eromheen, daar kun je toch niet warm voor lopen?'

'Waarom woon je dan hier? Ga in Spanje wonen of Zuid-Frankrijk… Ik word doodziek van dat blasé gedoe van jou.' Emmy prikte zo venijnig in de sla op haar bord dat de olijven er vandoor gingen en op de grond belandden.

Toen ze later thuis hun borrel/sapuurtje hielden vroeg Bettie waarom Sylvia en Emmy elkaar zo irriteerden. 'Verschil van mening hebben is prima, en we hadden afgesproken dat dat ook mocht, maar jullie overdrijven het wel! Respecteer een andermans mening en leg eventueel uit waarom je er zo op tegen bent. Sylvia houdt van luxe dingen en jij niet, nou, dat is toch prima? Ik houd ook van mooie dingen en Kate ook maar dan weer op een andere manier.'

'Ja, nu je het er toch over hebt, waarom kibbelen jij en Kate nooit?'

'Kijk, Em, dat komt omdat we het niet de moeite waard vinden om overal een heisa over te maken,' grinnikte Kate. 'Wij zijn volwassen en jullie kennelijk nog niet. Laat elkaar in je waarde en houd op met zeuren. Wie wil er nog wat drinken?

Syl, kind, jij hebt de kookbeurt en het zou wel prettig zijn als je een beetje nuchter blijft, dit is al je vierde glas wijn in korte tijd.'

Met een nijdig gebaar zette Sylvia haar glas neer en verdween naar het keukengedeelte waar ze met veel kabaal de pannen en dergelijke op het aanrecht zette.

Kate knipoogde naar Bettie. 'Zullen wij even in de tuin gaan zitten, met een vest of trui aan is dat best te doen.'

'Oké, dan ga ik met Duke naar buiten.'

'Ja, smeer hem alle drie maar,' mopperde Sylvia, 'ik doe alles net zo lief alleen.' Maar onder het koken dacht ze toch wel even na over wat Bettie en Kate hadden gezegd. Ze was zelf ook verbaasd dat ze zo op Emmy reageerde, of liever gezegd, ze reageerde zich op haar af. Ze was zich daar heel goed van bewust, al wist ze niet waarom ze dat deed. Voorheen kon ze haar wel hebben, dus waarom nu dan niet?

In de tuin hielden Kate en Bettie zich met hetzelfde onderwerp bezig.

'Leuk dat we voorgesteld hebben zo eerlijk mogelijk tegen elkaar te zijn, nu zitten we wel met de gebakken peren. Wat bezielt die twee vraag ik me af?'

'Ik denk, Kate, dat ze elkaar op de een of andere manier een spiegel voorhouden. Misschien willen ze allebei iets wat de ander doet of heeft. Als je leeft zoals Sylvia moet je dat steeds zien vol te houden. Een stap terug zou voor haar en Frits desastreuze gevolgen hebben.'

'Wat is die Frits voor een man, heb jij daar enig idee van?'

'Ik heb hem een paar keer ontmoet en zonder over hem te willen roddelen is het absoluut mijn kleur niet. Het is een pedant mannetje dat heel interessant doet en zichzelf geweldig vindt. Toch heb ik niet het idee dat Syl hem naar de ogen kijkt. Ze doet misschien alsof, maar iets in haar houding zegt me dat ze een eigen leven leidt. Hoe en waarom ik dat vermoed weet ik niet maar het is wel mijn gevoel.'

'Misschien komen we er hier wel achter of dat inderdaad zo is. Ik ben benieuwd.'

'Anders ik wel! Hè, wat zitten we hier fijn en dan ook nog zonder die twee opstandelingen. Ik verheug me erop om morgen onze schildersezels op te zetten. De tulpen zijn volgens mij nu op zijn mooist. Wat een kleuren hè?'

Kate voelde een ongekende rust over zich komen. 'Ik vind het ook zo boeiend dat we alle vier een andere impressie hebben van hetgeen we schilderen. Wat maakt Sylvia eigenlijk klaar als avondeten? Ik hoop trouwens dat Emmy niet weer zo'n enorme bak groenvoer erbij klaarmaakt want daar heb ik even wel genoeg van. Vanmiddag hebben we uiteindelijk onze broodnodige vitaminen al genuttigd.'

'Ik ben bang dat het een zeer eenvoudig maaltje zal worden. Volgens mij gaan die lui altijd uit eten of ze bestellen wat. Ik heb haar een bloemkool, gehakt en aardappeltjes om te bakken in de kar zien doen. Als toetje drie pakken vla en slagroom.' Ze proestten het allebei uit. 'Nou ja, voor een keer is het wel lekker, morgen is Emmy aan de beurt.'

'O hemel, kan het nog erger?'

'Tja, kind,' lachte Bettie, 'dan hadden we maar niet moeten voorstellen dat we alles om toerbeurt zouden doen. Heb je Sylvia het toilet en de badkamer al zien doen vandaag?'

'Grapjas, natuurlijk niet. Ik heb er zelf maar een doekje langs gehaald. Emmy had haar douche wel opgeruimd zag ik. Iemand moet morgen wel een wasje draaien anders willen we dat straks allemaal tegelijk.' Kate schonk voor hen allebei nog een glas wijn in en zakte toen genoeglijk weer onderuit.

Even later werden ze ruw uit hun gezapige rust opgeschrikt door een uitgelaten Duke die iedereen wel even een liefdesbetuiging wilde geven.

'Bah, viespeuk,' schold Kate, 'je stinkt naar kroos en ik zie het zelfs op je tong. Em, haal dat beest hier weg en maak hem schoon.'

'Kom maar, schat, je stinkt helemaal niet. Puur natuur toch?' Opgewekt liepen hond en zijn tijdelijk bazinnetje richting de bijkeuken en na tien minuten kwam Emmy bij hen zitten.

'Jij stinkt ook, Em,' zuchtte Kate vermoeid, 'neem een douche en kom schoon terug.'

'Ik kijk wel uit,' grinnikte Emmy, 'en me de woede van onze kookster op mijn hals halen. Je weet dat de douche naast de keuken is.'

'Oké, zak dan liever in het gras neer en graag een stuk van ons vandaan.'

'Hé, Bettie, hoe doe jij dat dan als je liefje niet al te fris geurt?' Emmy viel met een plof in het gras en ging op haar buik liggen.

'Ik spuit hem buiten af, wrijf hem droog en laat hem in de bijkeuken liggen,' sprak Bettie lui, 'en verstoor nu verder onze rust niet.

'De tafel is gedekt, komen jullie eten?' klonk de gebelgde stem van Sylvia. Ze liep direct terug naar binnen en ze hoorden haar met de stoelen schuiven.

'Meisjes laten we maar gehoor geven aan het vriendelijke bevel anders worden de patatten koud.' Kate stond op en duwde Emmy voor zich uit. 'In de bijkeuken is een kleine wasbak. Was je handen en je gezicht, en haal een kam of in ieder geval je vingers even door je haar. Gelukkig is je shirt nog redelijk schoon.'

'Ja ma, goed ma!'

Zonder enige rancune huppelde Emmy over het grasveld naar de bijkeuken. Even later schoof iedereen zwijgend aan tafel en schepte het eten op de borden. Emmy had voor haar doen een redelijk vol bord, kennelijk hield ze van een eenvoudige maaltijd zonder allerlei poespas.

'Het heeft me gesmaakt, Syl, is er nog wat bloemkool over?'

'Ja, Em, maak de rest maar op en breng nog wat aardappeltjes mee.' Niemand maakte verder een opmerking over het eten.

'Luister eens, als jullie culinair willen eten moet je niet mij laten koken, ik zie aan jullie gezichten dat je het niet erg smakelijk vond.' Sylvia zette de borden op elkaar en keek hen toen aan.

'Niemand heeft commentaar geleverd Sylvia, maar ik verbaas me erover dat je van eenvoudig eten houdt,' liet Kate zich horen.

'Dat doe ik ook niet. We eten meestal buiten de deur. En als Frits een zakendiner heeft bestel ik voor mezelf een pizza, of koop een kant-en-klare salade. Verder lunch ik nogal eens uitgebreid in de stad. Maar op zijn tijd vind ik dit soort eten best wel lekker. Mijn moeder was een ster in het koken van lekkere maar toch eenvoudige maaltijden.

We hadden het vroeger namelijk niet zo breed en mijn moeder moest vaak de touwtjes aan elkaar knopen,' legde ze op verdedigende toon uit terwijl niemand ernaar vroeg. 'Later kregen we het wat beter.'

'Daar is toch niks mis mee,' suste Bettie, 'wij hadden het toen ik jong was evenmin breed. Maar we vinden het misschien niet bij je passen in je huidige leven, vandaar. Ik vind bloemkool en een bal gehakt best lekker, alleen maak ik het anders klaar.'

'Nou, dan doe je het toch voortaan zelf, ik vind het best hoor!'

'Ja, dat snap ik,' zei Kate droog, 'maar wat Bettie bedoelt is dat je een eenvoudige maaltijd ook smakelijk kunt toebereiden dat is alles.'

'Ho, ho, en ik ben morgen aan de beurt… Kunnen we dan misschien iets bij de Chinees bestellen,' klonk Emmy zonnig. 'Ik vond het lekker hoor, Syl, laat de anderen maar kletsen. Maar ik heb corvee en moet afruimen en de machine vullen. Buik lekker uit in de tuin, dan zie je mij straks met de koffie verschijnen. Maar eerst Duke nog, die ben ik vergeten zijn eten te geven. Doeidoei kinderen!'

'Wat is die ineens opgewekt, heeft ze onderweg misschien een joint gerookt?'

'Ik weet het niet, Syl, misschien zou het jou ook goed doen. Ik ben je chagrijnige gedrag wel een beetje zat.' Kate en Bettie liepen naar de tuin en lieten Sylvia in haar sop gaarkoken.

'Zou Syl gelijk hebben wat die joint betreft?' vroeg Bettie ongerust.

'Ik weet het niet, misschien wel. Je gaat van een enkele joint echt niet flippen hoor!'

Het bleef even stil, toen vroeg Bettie of Kate er ook wel eens een had gerookt.

'Jaren terug wel eens, maar inderdaad heb ik ook een tijdje geblowd. Al mijn studiegenoten op de kunstacademie bezondigden zich er af en toe aan. Maar voor zover ik weet is niemand ooit overgegaan op harddrugs.'

'Wat waren de voordelen ervan?' vroeg Bettie timide.

'Ach, wat zal ik zeggen… Niet echt veel, je voelde je alleen even wat zekerder en meer ontspannen. Dat is mijn simpele ervaring in elk geval. Bovendien blowde ik niet iedere dag, meestal als we met een ploegje gingen stappen. En geloof me, Bettiekind, er gebeurden geen extreme dingen op zo'n avond.'

Tegen de tijd dat Emmy met de koffie de tuin inkwam was ook Sylvia over haar boze bui heen en kletsten ze gezellig met elkaar tot het te koud werd en ze naar binnengingen.

De volgende morgen rond elf uur stonden de ezels opgesteld op het grasveld en had ieder zijn plekje gevonden. Het was een kleurig stel om te zien. Ze waren gehuld in een enorm T-shirt dat vol verfvlekken zat. Ze hadden er zin in maar het duurde wel even voor ieder zijn mond hield en er van enige concentratie sprake was.

Op het terras op de tafel stond een grote koffiekan en een trommel met boterkoek. Voor wie even genoeg had van het schilderen waren er luie stoelen neergezet.

Hoewel het niet zo vroeg meer was hing er boven het veld nog een lichte nevel waar de zon doorheen schitterde. Een mooier object was niet te bedenken. Bettie nam de tijd om het op zich in te laten werken en zat heel stil met haar handen in haar schoot. Kate was bezig een opzet te maken en in eerste instantie was het een slordig geheel, pas veel later kreeg het perspectief. De tubes olieverf lagen keurig naast elkaar in de kist. Sylvia was druk bezig de acrylverf te mengen en Emmy sleep op haar gemak haar potloden. Zij maakte pentekeningen en daar was ze heel goed in, maar soms werkte ze met een heel fijn penseel. Ze hadden alle vier een eigen manier van werken, en je kon eigenlijk niet zeggen wat het meest interessant was. Na een uurtje besloten ze even te stoppen voor de koffie. De zon had nog niet zoveel kracht en kon weinig kwaad aanrichten met de verf.

'Grappig hè, we kunnen zo naar *Villa Felderhof*. Ik zie ons al bezig in die tuin daar en Rik die onderwijl grapjes maakt en ons bekritiseert.' Sylvia kreeg een verheerlijkte blik in haar ogen bij de gedachte alleen al.

'Zou jij dat echt willen?' vroeg Kate bedachtzaam. 'Het lijkt me maar eng om je ziel zomaar bloot te leggen.'

'Hij interviewt je heel respectvol dus ik zou niet weten waarom je dat niet zou willen. Bovendien ben je er een dag of drie en alles bij elkaar wordt er vijftig minuten uitgezonden. Ook ben je er niet alleen te gast.'

'Toch vind ik dat in zo'n uitzending best heftige dingen worden verteld. Ik vraag me af of je de band te zien krijgt voordat het wordt uitgezonden,' zei Bettie die het gegeven ook weinig aantrekkelijk vond.

'Nou, ik zie onze Sylvia het wel doen,' lachte Emmy. 'Lekker winkelen, veel aandacht krijgen, en wat denk je van samen eten klaarmaken met wat je even tevoren op de markt hebt gekocht. Houd je van koken? vraagt Rik dan belangstellend. Ja, heel erg, zegt onze Sylvia dan, we krijgen vaak gasten en dan kun je er niet onderuit om iets bijzonders klaar te maken. Ja, dat zegt onze Syl want die heeft lef. Ze zegt er natuurlijk niet bij dat het van de catering komt.'

'Je kunt er om lachen en ermee spotten maar ik zie hem en *Villa Felderhof* wel zitten. Een interessante man die heel integer overkomt. Wat ik de laatste jaren zo leuk vind is dat hij ook meer van zichzelf laat zien. In de tijd van die strooien hoed zag en hoorde je weinig van hemzelf.'

'Goed Syl, wij drieën zullen je bij hem aanbevelen. Maar nu gaan we weer aan het werk, meisjes, kom op!' Kate stond als eerste op en ging achter haar ezel zitten die met ijzeren pinnen in de grond was gezet.

Na een paar uur intensief werken vonden ze het voor die dag welletjes. Om de beurt zette ze hun ezel in de berging en hingen er een doek overheen. Het was de gewoonte pas als het klaar was het de ander te laten zien.

'Dat was heel fijn,' Bettie rekte zich tevreden uit. 'Maar het in de buitenlucht werken maakt wel slaperig. Hebben jullie daar ook last van?'

'Een beetje wel. Ik zal voor jullie een fles wijn openmaken en er wat bij versieren,' zei Emmy en liep naar binnen.

'Wat is die gewillig geworden,' spotte Sylvia, 'trouwens, ze had het plan opgevat om vanavond pannenkoeken te bakken, hebben jullie daar wel trek in?'

'Zeker wel, Syl, en waarom zeg je dat op zo'n vreemde toon. Ik vind dat Em haar best doet om het zo gezellig mogelijk te houden. Ik zou willen dat jij ook wat meer je best deed.'

Zo, die zat en Sylvia kon er weinig tegenin brengen. Ze haalde alleen onverschillig haar schouders op. Ze vond Kate af en toe vervelend scherpe opmerkingen maken naar haar.

Na een paar mislukte pannenkoeken kreeg Emmy er handigheid in, en de anderen lieten het zich een uurtje later goed smaken. Zelfs Sylvia had er weinig op aan te merken. Na het eten bleven ze met een dikke trui aan nog een uurtje in de tuin zitten en Bettie was de eerste die afhaakte.

'Sorry, kinderen, maar ik val om van de slaap. Ik heb de ontbijt-beurt dus moet vroeg op. Welterusten en slaap lekker.' Ze wuifde nog even en verdween in haar slaapkamer.

'Ik ga even een heerlijk bad nemen dus ik zeg jullie hierbij ook welterusten.'

'Droom onderwijl maar dat je in *Villa Felderhof* een bad neemt, Syl, maar kom er wel op tijd weer uit, want Rik komt niet je rug wassen.'

'Klier,' zei Sylvia en ook zij verdween. Zo bleven alleen Kate en Emmy over. Emmy was haar reserves voor Kate deze dagen aardig kwijtgeraakt en ze krulde zich op in haar stoel.

'Ik vind Bettie er af en toe slecht uitzien,' merkte ze op. 'Volgens mij zit er weer een hoofdpijnaanval te werken. Ik heb nooit geweten dat ze daar veel last van had.'

'Ik ook niet,' zei Kate in gedachten. 'We moeten haar morgen-ochtend maar laten slapen. Zullen wij haar beurt om het ontbijt klaar te maken overnemen?'

'Ik vind het prima, ik ben trouwens toch altijd vroeg wakker. Dan ga ik eerst met Duke uit zodat hij haar niet wakker kan maken. Ik vind het heel leuk om hier met jullie te zijn,' zei Emmy eenvou-dig, 'je mag best weten dat ik er erg tegenop zag. Je ziet elkaar meestal op zijn best en maakt het onderling gezellig. Maar iemand echt kennen, nee, dat deden we niet.'

'Hindert het gedrag van Sylvia je niet erg?' vroeg Kate toen nieuwsgierig.

'Af en toe wel. Maar ik moet inwendig altijd zo om haar manier-tjes lachen. Ze gedraagt zich echt als een vrouw van de wereld en ziet mij als een randgeval. Ik woon nog net niet in een kartonnen doos of kraakpand maar in haar idee ben ik er niet ver vanaf. Ze moest eens weten dat ik met mijn nichtje in een keurige flat woon en ook nog in een keurige wijk.'

'Bevalt het werken met kinderen je of had je liever iets anders willen doen?'

'Ik zou niets anders willen, Kate. Het geeft heel veel voldoening om net iets meer te geven dan waar om gevraagd wordt. De kinderen worden vroeg bij je afgeleverd en zijn vanwege de stress van de ouders soms erg uit hun doen. Er wordt het eerste uur veel gehuild en gedreind. Maar we hebben een goede ploeg mensen en zijn op elkaar ingespeeld. Er doen zich vrijwel nooit ernstige problemen voor. Soms zijn er moeilijke kinderen bij maar daar is vaak een reden voor. Die proberen we dan te achterhalen zodat we kunnen proberen die kinderen en eventueel de ouders te helpen.'

'Je bent een fijne meid, Emmy, en ik geloof zeker dat je daar op je plaats bent. Je had hier in het begin wat startmoeilijkheden maar die heb je ruimschoots goedgemaakt. Ik ga ook naar bed. Jij moet zeker nog even met Duke weg. Het lijkt erop dat de hond erg in zijn sas is met twee vrouwtjes. Slaap lekker, kind, en vergeet niet af te sluiten.' Ze legde even haar hand op de schouder van Emmy, het was een warm gebaar dat Emmy erg waardeerde.

Het was rond een uur of vier dat Kate uit haar slaap opschrok doordat ze de deur van de slaapkamer naast haar hoorde opengaan. Ze bleef nog even liggen maar ging er toen ook uit. In de huiskamer zat Bettie in een stoel voor het raam. Ze had haar benen op een bankje gelegd en zat ineengedoken in haar ochtendjas in het donker.

'Kun je niet slapen?' vroeg Kate zacht en trok een stoel bij.

'Bettie schudde haar hoofd: 'Ik viel bijna direct in slaap maar was na een paar uur weer wakker. In bed blijven liggen heeft dan geen zin want ik word er alleen maar onrustiger van.'

'Heb je hoofdpijn, Emmy had het erover.'

'Mm, het is toch een lieve meid. Ik voel wel weer die druk op mijn hoofd dus het kan best zijn dat het morgen losbarst.'

'Kun je niet preventief alvast je medicijnen innemen misschien zakt het dan sneller.'

'Dat heeft geen zin, Kate. Het helpt pas als het op zijn hoogtepunt is. Dat klinkt misschien vreemd maar in mijn geval werkt het zo.'
'Heb je een chemokuur gehad, Bettie?'
Geschrokken keek Bettie Kate aan: 'Hoe kom je daar zo bij?'
'Gisternacht lag je heel onrustig te kreunen en toen ben ik even bij je wezen kijken. Ik zag je borstprothese op de stoel liggen. Je begrijpt wel dat het geen nieuwsgierigheid van me was.'
'Ja, natuurlijk,' zei Bettie geëmotioneerd. 'Ik heb na mijn operatie inderdaad chemo gekregen, zij het dan in de vorm van pillen. Preventief weliswaar. Er waren gelukkig geen uitzaaiingen, wel zijn aan de linkerkant mijn lymfeklieren verwijderd.'
'Hoe lang is het geleden en sta je nog steeds onder controle?'
'Zes jaar, en ja, ieder halfjaar worden er borstfoto's gemaakt. Na vijf jaar kun je ervoor kiezen om de controles te beëindigen maar dat wilde ik niet. Ze vonden het ook beter dat ik die controles wel hield met oog op mijn leeftijd. De overgang speelt daarin ook een rol.'
'Wat zul je een rottijd hebben gehad, Bettie. Heb je thuis ook veel last van die hoofdpijnen?'
'Nee, gek genoeg heb ik er meer last van als ik ontspannen ben. Maar ik ga naar bed en probeer nog een paar uurtjes te slapen.'
Kate begreep dat ze er nu niet op in wilde gaan en drong daarom niet verder aan. 'Em en ik nemen je ontbijtbeurt over dus maak je daar maar niet druk om.'
'Lief van jullie… En bedankt Kate!'
Kate lag nog lang wakker en dacht na over hetgeen Bettie haar had verteld. Het hoofdpijnverhaal klonk haar wat onlogisch in haar oren, meestal was het andersom en kreeg je het bij spanning en dergelijke. Ze hoopte maar dat Bettie er naar de anderen toe ook open over zou zijn. Het luchtte vaak op om er over te praten met mensen die niet tot de directe familie en vriendenkring behoorden. Het was dan minder beladen.

Aan het ontbijt leek Bettie weer de oude maar toch zag Kate dat haar ogen niet goed stonden. Ook Emmy zag het en keek

Kate veelbetekenend aan.

Alleen Sylvia had niets in de gaten. 'Wat gaan we vandaag doen, kinderen? Ik heb wel zin in een dagje winkelen.'

'Ik wilde eigenlijk een wandeling in de omgeving maken,' zei Bettie, 'ik heb er nog weinig van gezien, en het is voor de hond ook wel leuk als hij een beetje vrij kan rennen.'

'Volgens mij komt de hond niets tekort, Emmy gaat zo vaak met hem weg. En bovendien is er niets zo saai als wandelen. Als je één koe hebt gezien heb je ze allemaal gezien en dat geldt ook voor bomen en velden.'

'Sylvia, dan ga jij lekker winkelen en wij wandelen. Het is niet erg als we individueel iets ondernemen,' zei Kate korzelig. 'Wel lijkt het me leuk een weekendje ertussenuit te gaan en bijvoorbeeld de boot naar Texel te nemen. Het is nog vroeg in het seizoen dus de pensions en hotels zullen nog niet vol zijn. Wat vinden jullie ervan?'

Alleen Emmy was niet erg enthousiast. Kate vermoedde dat het een financiële kwestie was. Ze zou haar straks onder het wandelen wel even apart nemen. Het medehuren van het huis, en de kosten van het eten en drinken waren natuurlijk best wel pittig. Emmy was gewoon wat minder draagkrachtig dan zij drieën. Ook Bettie voelde waar de schoen wrong en zond Kate een blik van verstandhouding.

Sylvia vertrok even later en ze was zwaar beledigd dat niemand met haar mee wilde gaan. Eigenlijk zijn jullie maar een stel saaie trutten had ze pinnig gezegd voor ze de deur achter zich dichttrok.

'Is Sylvia altijd zo oppervlakkig geweest?' vroeg Bettie in het algemeen tijdens het wandelen.

'Ze valt een beetje buiten de boot maar dat heeft ze aan zichzelf te danken. Nu Emmy niet meer op alles wat ze zegt ingaat voelt ze zich buitengesloten. Ach, de eerste week is bijna voorbij en ik denk dat het hierna wel beter zal gaan. De gesprekken die we hebben gehad waren gezellig maar niet erg diepgaand zoals de bedoeling was. Het hoeft ook niet allemaal ineens, we hebben alle tijd.'

'We hebben natuurlijk best veel commentaar op haar doen en

laten en ik pest haar ook vaak. Niet erg aardig maar wel leuk. Ze ziet er goed en verzorgd uit. Ze is wat mollig maar dat kan ze wel hebben. Alleen vind ik het allemaal een beetje tè! Waarom nu niet eens een keer in een leuke maar afgedragen spijkerbroek met een leuk shirt erop, en zonder die altijd en eeuwige make-up. Oké, ik ben geen goed voorbeeld want zo hoeft ze er ook weer niet bij te lopen.'

'Nee, toch niet?' grijnsde Kate een beetje vals. 'Maar ik ben het wel met je eens, het is vakantie en dan mag je je wat losser kleden. Op de een of andere manier blijven haar kleren ook altijd schoon en netjes en dat kun je van ons niet altijd zeggen. Maar ja, als zij zich er prettig in voelt wie zijn wij dan om er commentaar op te hebben.'

Plotseling viel het hen op dat Bettie er niets op zei en maar stilletjes naast hen liep.

'Toch weer hoofdpijn, Bettie?' vroeg Kate zachtjes. Bettie knikte bedrukt. 'Ik wil jullie wandeling niet verknoeien maar ik zou graag teruggaan.'

'Geen probleem, Bettie. We gaan terug en jij gaat je bed in. Wil jij met Duke verder wandelen, Em?'

'Welnee,' zei Emmy, 'hij heeft een lekker stuk gelopen en we laten hem in de tuin. Daar kan hij ook vogeltjes bestuderen want dat vindt hij kennelijk heel leuk.'

'En het grappige is dat hij ze nooit heeft opgejaagd, evenmin als de eenden. Het is gewoon een keurig opgevoede hond,' probeerde Bettie de sfeer gezellig te houden. 'Vanavond ben ik weer opgeknapt want het duurt nooit, zoals bijvoorbeeld bij migraine, drie dagen.'

Thuisgekomen ging Bettie onmiddellijk naar haar kamer. Kate liep even mee. 'Wil je je nachthemd aan?'

'Nee, Kate. Ik voel me prettiger als ik gewoon op het dek ga liggen met een lichte deken over me heen. Die ligt in de kast. Als ik overdag uitgekleed op bed ga liggen doet me dat te veel aan die rottijd denken.' Ze nam haar medicijnen in met een groot glas water.

Kate deed op haar verzoek het raam open maar de gordijnen bleven gesloten. 'Ik hoop dat het snel zakt, Bettie. Probeer je nergens druk over te maken want dat is niet nodig.'

Emmy was in de tuin even met de hond aan het stoeien en toen ze Kate zag kwam ze naar binnen. Ze sleepten samen een paar luie stoelen naar de opengeschoven schuifpui en zetten er een tafeltje tussen. Zo konden ze de hond in de gaten houden en ook of Bettie hen nodig had.

'Wil ik koffie maken of heb je liever thee?' vroeg Kate.

'Ga jij maar zitten dan doe ik dat wel even. Ik neem voor een keertje ook maar koffie. Wie heeft de kookbeurt eigenlijk?'

'Tja, daar zeg je zo wat! Ik had beloofd de boodschappen te doen en te koken vanavond. Maar ik denk dat Sylvia in de stad heeft geluncht dus hoeven we daar geen rekening mee te houden. En Bettie zal niet veel trek hebben in warm eten neem ik aan. Mij maakt het eigenlijk niet uit, dus dan blijf alleen jij over.'

'Ik vind een kop soep en een boterham met een gebakken ei prima. Dan mag jij je ook een keertje laten verwennen en neem ik ook het eten voor mijn rekening.' Even later kwam ze terug met twee bekers koffie en een bordje met smeuïg besmeerde plakken ontbijtkoek. Ook had ze haar schetsboek onder haar arm. 'Hoe komt Bettie aan die hoofdpijnen? Ik geloof niet dat het een gewone hoofdpijn is.' Ze sloeg haar schetsboek open en richtte haar ogen op Duke die als een dolleman met een piepbal in de weer was.

'Je hebt gelijk, het is geen gewone hoofdpijn. Maar ik heb liever dat ze dat jullie zelf een keer vertelt. Ik ben er per ongeluk achtergekomen maar het is niet aan mij daar iets over te zeggen.'

'Oké, dan wacht ik maar af tot ze er zelf over begint.' Met precisie volgden de lijnen op papier de bewegingen van de hond.

Kate keek bewonderend toe. 'Je werkt in een kinderdagverblijf, had je niet liever les gegeven aan groep een of twee?'

Emmy schudde haar hoofd waarbij haar slordig samengebonden paardenstaart heen en weer vloog. 'Nee, ik vind baby's en kleine kinderen het leukst en het fijnst om mee te werken. Ik houd van de geur van baby's en ik vind het heerlijk ze de fles te geven en dergelijke.'

'Je vertelde op les dat je wel een paar keer een relatie hebt gehad. Was er nooit iemand bij met wie je een toekomst wilde opbouwen, want als je zo dol op kinderen bent lijkt het me logisch dat je ze later ook van jezelf wilt hebben.'

'Dat hoeft niet altijd samen te gaan, Kate. Je hebt met anderen de verantwoording voor die kinderen, niet alleen jij.'

Het bleef even stil terwijl Emmy onverstoord verder werkte. De hond begon er al aardig op te lijken.

'Knap hoe je dat doet, Em, het is toch een heel apart talent.'

'Om je eerlijk de waarheid te zeggen, Kate, ik heb nog nooit een relatie gehad. Vrienden, ja die heb ik wel, maar misschien vreemd in jouw ogen heb ik een zwak voor homo's. Het zijn de beste vrienden die je je over het algemeen maar kunt bedenken. Je kunt altijd op ze rekenen en ze begrijpen je beter dan zomaar een willekeurige vriendin.'

'Ik heb het gevoel dat er een speciale reden voor is dat je daar voor kiest, al ben ik het met je eens dat als je eenmaal zo'n vriend hebt, het ook een vriend voor het leven is.'

'Inderdaad, en die reden komt wellicht deze maand nog aan de orde. Ik denk dat we elkaar hebben gevonden omdat ieder van ons een deel van het leven meesjouwt dat niet erg prettig is geweest. Dat geldt denk ik toch ook voor Sylvia.'

'Je hebt gelijk, Em,' beaamde Kate warm haar woorden. 'Wat jouw persoontje betreft hebben we ons met zijn allen vergist. Hoewel... Bettie niet, die heeft vanaf het begin een zwak voor je gehad.'

Emmy glimlachte en staakte het tekenen even. 'Zoals zij is zo behoort een moeder te zijn. Ik voel me warm en veilig bij haar en daarom vind ik het zo erg dat ze er af en toe zo beroerd aan toe is.' Voor Kate er echter antwoord op kon geven stoof Sylvia de kamer binnen.

'Hallo, luitjes, wat zitten jullie daar gezapig. Ligt Bettie weer met hoofdpijn op bed? Ik hoop niet dat ze er de hele vakantie last van blijft hebben.' Ze gooide een aantal tassen op de eettafel en gooide haar korte jasje erbij.

'Dat hopen wij ook niet, Sylvia, maar misschien kun je een beetje dimmen. Ik neem aan dat je een welbestede dag hebt gehad en je er weer even tegen kan.'

'Je bedoelt waarschijnlijk of mijn kooplust is bevredigd,' zei ze lachend zonder zich een ogenblik beledigd te voelen.'

'*Whatever*… Wil je koffie?'

'Welnee zeg, ik ben wel aan iets pittigers toe. Blijf maar zitten dan schenk ik mezelf wel wat in.' Ze kwam tevoorschijn met een flink glas rode wijn. 'Zitten jullie de hele middag al hier je tijd te verdoen, lekker saai!'

'We hebben onze tijd niet verdaan zoals jij zo lieflijk opmerkt. Het is maar net waar je waarde aan hecht.'

'Ja, grootmoeder Em, ik geloof je. Goh, wat leuk zeg die schets van Duke, je hebt er echt feeling voor.'

Dit was weer echt Sylvia. Het ene moment zou je haar de nek omdraaien en het volgende moment was ze aardig en spontaan. 'Ik weet niet wat jullie willen eten maar ik heb al uitgebreid geluncht.'

De anderen schoten in de lach. 'Wat ben je toch heerlijk voorspelbaar,' grinnikte Kate. 'Maar laat eens zien wat je allemaal hebt gekocht.'

'Het zal je misschien verbazen, lieve vriendinnen, maar voor mezelf heb ik heel weinig gekocht. Ik heb aan jullie gedacht maar het is leuker als ook Bettie weer van de partij is.'

Kate en Emmy voelden zich een beetje schuldig, en dat was hen aan te zien. Sylvia produceerde een triomfantelijke lach, ze wist best wat er in haar vriendinnen omging. Ze vonden haar redelijk egoïstisch en dat was ze ook af en toe. Zoveel zelfkennis had ze wel.

Emmy was eieren aan het bakken toen Bettie verfrist en hoofdpijnvrij uit haar kamer kwam.

'O, jee,' schrok Emmy, 'word je niet misselijk van die lucht?'

'Welnee, als de hoofdpijn over is heb ik nergens meer last van. Ik maak straks wel wat voor mezelf klaar.'

'Nee, hoor, ik zorg voor het eten dus ook voor jou. Waar kan ik je mee plezieren?' Emmy zwaaide vervaarlijk met een groot mes en Sylvia die dicht bij haar zat schoof verschrikt een stukje achteruit. Voor ze aan tafel gingen gaf Sylvia hen allemaal een cadeau. Voor Bettie had ze een voile sjaal met prachtige zachte tinten waar deze erg blij mee was. Voor Kate had ze een poëziewerkje dat net was uitgekomen, ze had er Kate over horen praten. Voor Emmy een leuk T-shirt en een kakibroek, afritsbaar en met veel zakken. Iedereen was heel verbaasd en vooral verrast. Ze wisten zich eigenlijk geen houding te geven, ook al omdat ze niet echt aardig over haar hadden gedacht. Alleen Bettie was haar spontane zelf en omhelsde Sylvia met warmte.

'En wat heb je voor jezelf gekocht?' vroeg Kate nadat ze haar had bedankt, want ook zij was erg in haar nopjes met de gedichten. Sylvia grinnikte, ze had plezier in hun verlegenheid want ze wist best dat ze geregeld commentaar op haar hadden.

'Tja, eens kijken. Wat toiletartikelen, twee bh's met bijpassende slipjes en ja, dat was het wel. Niet te geloven hè? Maar ik heb me voorgenomen eens per week zolang we hier zijn naar de een of andere stad te gaan om een beetje te winkelen.'

'Je kunt echt niet zonder, hè?' zei Bettie lachend, 'die stilte is niets voor jou en daarom vind ik het toch fijn dat je bent meegegaan.'

'Nee, ik word kriegel van die rust en stilte zoals ik van de week al zei. Ik moet mensen zien, en de herrie die jullie verfoeien vind ik prettig. Ik hoef niet eens altijd wat te kopen, ik vind het gewoon leuk om zomaar wat rond te kijken.'

'Krijgen we je strings en bh's nog te zien?' vroeg Emmy ondeugend.

'Pech voor je maar geen strings, zelfs ik weet wanneer er een einde aan dat aantrekkelijk tijdperk is gekomen. Maar goed, ik wil het best laten zien hoor als je er prijs op stelt.'

Ze haalde het pakje uit de slaapkamer en schudde haar aankoop eruit. Een zachtgroen setje met veel kant en een wit setje. Bettie keek er met gemengde gevoelens naar. Vóór haar operatie had ze ook dergelijk ondergoed gekocht en er van genoten het te dragen. Kant, satijn, het voelde allemaal zo vrouwelijk en prettig aan op je lichaam. Kate knikte even naar haar, ze vermoedde wel wat er in haar vriendin omging.

'Nou, heel mooi, Syl, ja echt ik meen het, het is alleen aan mij niet besteed. Ik heb er geen figuur voor, en ik ben er ook het type niet naar om me in zulke dingen lekker te voelen.'

Emmy pakte het weer in en reikte het Sylvia aan.

'En jij, Kate, draag jij zulk ondergoed wel?' vroeg Sylvia haar.

'Iets minder luxe maar ik houd evengoed van mooie lingerie. Jouw nachtgewaden bijvoorbeeld zijn prachtig, maar daar geef ik weer minder om. Bettie en jij zijn stralende persoonlijkheden, zij met haar kastanjebruine haar en jij met je bijna zwarte haardos. Jullie hebben beiden een supervrouwelijk figuur en daar past enige uitbundigheid wel bij. Jij met je sprankelende bruine ogen, en Bettie met haar geheimzinnige ogen die soms groen en dan weer grijs zijn. Emmy en ik hebben een weinig sprekende haarkleur, en alleen heeft Em blauwe, heldere kijkers en ik heel lichtbruine. Zo, ik heb ons even met een schildersoog getypeerd.'

'Aardig gedaan, dank je wel,' lachte Bettie nu weer vrolijk. 'Ik wil twee gekookte eitjes, Em, zacht als het kan, en twee geroosterde boterhammen, dan ben ik dik tevreden.'

'Oké, ik begrijp de hint. Ik ga me van mijn taak kwijten en als jullie iets willen drinken dan moet je dat zelf maar inschenken.'

Voor de gezelligheid at Sylvia nog een kopje soep mee en al heel snel zaten ze weer aan de koffie. Ze besloten gezellig een kaartavondje te houden. Je kon niet alle avonden vullen met praten of tv-kijken, en lezen deden ze meestal voor ze gingen slapen. Hartenjagen en boerenbridge vonden ze nog wel een beetje interessant, voor de rest hadden ze maar matig belangstelling. Het was grappig dat juist Sylvia er heel gewiekst in was en de meeste potjes won, tot grote ergernis van Emmy die niet zo best tegen haar verlies kon. Ook al omdat het triomfantelijke gezicht dat

Sylvia trok als ze had gewonnen haar irriteerde. Toen ze even een pauze hielden om wat in te schenken en wat hartigs klaar te maken vroeg Sylvia aan Emmy of ze nog meer broers of zussen had.

'Ik heb alleen een broertje, hij is acht jaar jonger dan dat ik ben. Hij loopt op het moment stage in een dierenkliniek. Hij is bezig met zijn laatste jaar en dan is hij officieel dierenarts.' Er klonk oprechte trots in haar stem.

'Woont hij nog bij zijn ouders of op zichzelf?'

'Bij een tante,' klonk het kort. De anderen hadden inmiddels ook weer aan de tafel plaatsgenomen.

'Wat leuk, Em, dat je een broer hebt die voor dierenarts studeert, de liefde voor dieren zit kennelijk in de familie,' zei Bettie hartelijk. Emmy knikte stuurs.

'Jij steunt hem zeker financieel bij zijn studie,' merkte Sylvia bedachtzaam op.

'Waar maak je dat uit op?' vroeg Emmy korzelig.

'Nou ja, ook al verdien je bij dat kinderdagverblijf geen wereldsalaris, je moet er toch behoorlijk van rond kunnen komen. Zeker omdat je je flat met een nichtje deelt. En daarbij maak je niet de indruk over veel geld te kunnen beschikken.'

Emmy balde haar vuisten en had graag het shirt en de broek in haar gezicht geslingerd.

'Ik begrijp niet waar je je mee bemoeit,' viel ze uit, 'ik vraag aan jou toch ook niet hoeveel je te besteden hebt.'

'Ho ho, Em, Sylvia bedoelt er niets bijzonders mee, het is gewoon een conclusie die ze trekt. We zouden elkaar de kans geven het een en ander te vertellen en te vragen. Als je er niet van gediend bent geef je dat aan, maar niet op de manier zoals jij nu doet.' Kate legde even kalmerend een hand over die van Emmy. Ze begreep uit haar reactie dat er meer achter moest schuilen.

'Kom, jongens, wie moet er geven?' Bettie hield de kaarten omhoog. De gezellige sfeer had een kleine deuk opgelopen maar de rest van de avond verliep toch redelijk ontspannen.

'Sorry dat ik je boos heb gemaakt met mijn vragen,' zei Sylvia verontschuldigend toen ze later in bed lagen, 'dat was niet mijn bedoeling.'

'Het is al goed, ik had ook wat minder uit mijn slof kunnen schieten. Ik praat niet graag over mijn verleden of over mijn familie, maar dat had je natuurlijk al begrepen. Het nichtje waar ik mee samenwoon is de dochter van die tante waar mijn broer bij woont. Ik spring inderdaad bij door een maandelijks bedrag naar hem over te maken. Hij leeft heel zuinig en gaat zelden stappen. Dat vindt hij zonde van het geld en ook niet eerlijk tegenover mij. Bij mijn tante hoeft hij geen kostgeld te betalen en zo redt hij het net. Ik vind het niet erg om bij te springen, hij verdient alle hulp die er is. Het is een fijne vent met een goed karakter.'

'Ik begrijp dat daarmee niet het hele verhaal is verteld maar dat komt later misschien nog aan de orde. Tenminste, als je dat zelf wilt. Ik zag aan je ogen dat je me graag mijn cadeau naar mijn hoofd had gegooid. Je had nog gelijk ook!

Getver,' zei ze even later, 'ik ben me toch misselijk... Ik heb vanmiddag een visschotel gegeten, ik hoop niet dat daar iets mis mee was. Ik moet echt...' Ze sprong het bed uit en rende naar de douche van Emmy. Maar het was al te laat, ze spoog de hele wasbak en de grond onder en ook zichzelf. Ze barstte van ellende in huilen uit.

'Ik zit ook onder, Em, wat moet ik nu doen?' Opnieuw werd ze overvallen door een misselijkheidsgolf en ze spoog deze keer wel in de wasbak. Ze had het heel benauwd ook omdat ze onderwijl maar bleef snikken.

Emmy haalde schoon goed uit de kast en kwam de douche weer in.

'Is het nu wat gezakt? Houd op met huilen, Syl, want het wordt er alleen maar erger door. Hier heb je douchespul.' Ze zette de kranen open tot het water op temperatuur was. Deze douche had geen thermostaatkraan.

'Ik heb de douche vanmorgen goed schoongemaakt dus je kunt er veilig in,' zei ze in een poging Sylvia met wat humor tot bedaren te brengen.

'Ik vind het zo vies…' Sylvia pulkte aan haar nachthemd maar trok het niet uit. Emmy hielp haar er toen maar bij en duwde haar de douche in. Eerst liep ze met de besmeurde spullen naar de berging waar ze alles in een emmer zette, toen liep ze terug met een emmer sop en maakte de wasbak en de grond schoon. Ze spoot er snel wat deodorant overheen want de stank was niet te harden. Vlug trok ze haar eigen spullen uit, waste haar gezicht en handen en bracht ook haar vieze troep naar de berging.

Sylvia kwam even later de douche weer uit, gelukkig had het haar goed gedaan en had haar gezicht weer de normale kleur. 'Bedankt, Em,' zei ze schor, 'je bent af en toe echt een kanjer. Ik had dat nooit voor een ander op kunnen brengen, nou ja, niet eens voor mezelf,' zei ze er nuchter achteraan. Ze kroop haar bed weer in. 'Ik heb het koud en warm tegelijk,' klonk het nog even bibberend en toen viel ze al snel in slaap. Emmy daarentegen lag nog lang wakker. Met haar armen onder haar hoofd overdacht ze wat er allemaal gebeurd was. Het was een vreemde dag geweest met hoogte- en dieptepunten, maar toch had ze er achteraf een goed gevoel over.

'Wat is er in hemelsnaam vannacht gebeurd,' mopperde Bettie die de kamer inkwam en daar Kate zowel als Emmy vond. 'Ik heb de deur van de berging naar buiten opengezet, wat een gore lucht hangt er.'

'Syl werd niet goed, kennelijk die middag iets verkeerds gegeten,' lichtte Emmy de anderen in.

'Mm, heeft ze zelf alles schoongemaakt? Nee, natuurlijk niet, voor dat onsmakelijke karretje heeft ze jou gespannen neem ik aan.'

'Ik heb dat uit mezelf op me genomen, Bettie, je kunt iemand die zich zo beroerd voelt niet aan haar lot overlaten.'

'Nee, oké, dat zal dan wel niet. Maar ze spoelt de troep zelf uit en gooit het daarna in de wasmachine, ik wil die lucht niet langer ruiken. Trouwens, haar wasmandje loopt aardig over dus die taak zal ze vandaag toch echt op zich moeten nemen.' Met een gezicht als een donderwolk schonk Bettie een kop koffie in voor zichzelf en ging ermee bij de open schuifpui zitten.

'Reageer jij niet een beetje erg heftig?' vroeg Emmy verbaasd. 'Het kan iedereen overkomen, hoor!'

'Ja, maar dan ruim je wel zelf de troep op,' ze klonk nog steeds boos.

Alleen Kate begreep dat Bettie herinnerd werd aan haar chemoperiode waarin overgeven bijna standaard was. Ze vroeg zich af hoe Betties man, Ernst, ermee om was gegaan in die tijd. Ze vermoedde terecht dat daar de schoen wrong.

'Mogge, kinderen,' kwam Sylvia monter uit haar slaapkamer tevoorschijn. Kate drukte licht de schouder van Bettie als waarschuwing niet uit te vallen. Bettie begreep de hint maar hield zich met moeite in.

'Ik heb van Emmy begrepen dat de vis die je had geconsumeerd de vrijheid verkoos. Hoe voel je je nu?'

'Wat formuleer je het weer prachtig, Kate,' complimenteerde Sylvia haar, 'ik voel me prima, maar wel dankzij Emmy. Als zij er niet was geweest lag ik vermoedelijk nog in de douche in mijn eigen vuil,' lachte ze. 'Ik ben bijna nooit misselijk dus ik wist niet wat me overkwam.'

'Ja, nu weten we het wel,' bitste Bettie.

'Hé, kan ook onze gelijkmatige Bettie met haar verkeerde been uit bed stappen, *well, enjoy the company*, zal ik maar zeggen.' Sylvia haalde laconiek haar schouders op.

'Alles goed en wel, zieltje zonder zorg, maar je zorgt na het ontbijt er wel voor dat je alles opruimt en een aantal wassen draait. Je wasmand loopt over zoals ik al zei.' Sylvia deed er wijselijk het zwijgen toe en ging de tafel dekken.

'Iemand nog iets bijzonders voor het ontbijt?' vroeg ze luchtig.

'Rooster maar wat brood, Syl. Ik heb gister een lekkere pot marmelade gekocht en dat smaakt voortreffelijk op toast.'

'Goed, Kate, ik zal ervoor zorgen. Anders nog iets?'

'Schiet op, muts, je verdoet je tijd,' Emmy gaf haar een zetje richting keuken. Het gezicht van Bettie stond nog steeds op onweer en een vrolijke Sylvia irriteerde haar vanochtend kennelijk.

Die dag werd er weer geschilderd en deze keer stonden ze met hun ezels een stuk uit elkaar. Er hing een vreemde stilte alsof ieder met zijn eigen gedachten aan het stoeien was. Koffie werd ingeschonken en opgedronken achter de ezel zonder dat ze aan de ander vroegen of die misschien ook wel trek had. Om vijf uur werden de ezels opgeruimd wat ook weer zwijgend gebeurde. Je kon niet zeggen dat de sfeer vijandig was maar wel kil, onpersoonlijk.

Bettie ging naar haar kamer en even later volgde Kate haar. Ze ging naast haar op het bed zitten en sloeg een arm om haar heen. 'Praat er vanavond over Bettie. Niemand begrijpt wat er met je aan de hand is en zo kennen ze je niet. Er hing een vreemde ongenoeglijke stemming vandaag en dat drukte op iedereen.'

'Je hebt gelijk,' gaf Bettie schoorvoetend toe. Mijn houding naar Sylvia toe was unfair. Ik denk dat ik dat inderdaad maar doe want ze vermoeden natuurlijk wel dat er een reden moet zijn voor mijn gedrag.'

'Precies, en het geeft misschien Emmy de gelegenheid om ook een keer uit haar schuilplaats te komen. Kom nu mee want anders schiet ons happy hour er bij in. Rood, wit of rosé?'

'Doe maar een roseetje daar heb ik wel trek in.'

'Ook een wijntje?' vroeg Kate aan Sylvia, 'of durf je dat nog niet aan. Ik maak een fles rosé open.'

'Dat lukt wel denk ik. Dan maak ik een paar toastjes met brie erbij klaar.'

'Em, wat wil jij,' riep Kate. Emmy was op haar kamer maar de deur stond open.

'Ach, wat dondert het, schenk er mij ook maar een in.'

'Wat een grove taal meisje, maar kom dan zitten, jij ook, Syl.'

'We toosten op Emmy die de drankzusters vandaag gezelschap houdt. Proost, Em!' Ze hieven het glas in haar richting.

'Het is niet dat ik niet van een glaasje wijn houd,' legde Emmy uit, 'maar ik heb niet van die beste alcoholische herinneringen.'

'Dat hadden we min of meer al begrepen, Em. Ik hoop dat je ons een keer in vertrouwen wilt nemen zoals ik jullie vanavond ook zal doen. Sorry, Syl, voor mijn uitval vanochtend. Ook ik heb niet van die beste herinneringen aan het verleden.'

'Ik mag dan oppervlakkig overkomen maar ik vermoedde wel dat er iets bijzonders gebeurd moest zijn in jouw leven. Maar dat bewaren we voor vanavond. We moeten deze unheimische dag eerst een beetje te boven komen. Lieve vriendinnen, proost!'

'Er is inderdaad een bijzondere reden voor mijn hoofdpijn,' legde Bettie uit. Ze zaten aan de koffie en Bettie zette haar kopje bedachtzaam terug op de tafel. 'Ik heb zes jaar geleden een borstamputatie gehad. Mijn lymfeklieren zijn daarbij ook verwijderd. Daarna heb ik preventief een paar chemokuren gehad in de vorm van pillen. Kate had het al geraden toen ze op een nacht op mijn kamer kwam omdat ik zo onrustig was. Ze zag mijn borstprothese op de stoel liggen. Nadat ik weer uit het ziekenhuis kwam is die hoofdpijn begonnen. De dokter zei dat het een bijverschijnsel van de chemo kon zijn. Dus dat is de verklaring voor mijn hoofdpijnaanvallen. Ze duren niet lang maar zijn wel hevig. Gelukkig ben ik er niet misselijk bij.' Het bleef even stil, Sylvia en Emmy verwerkten ontdaan Betties relaas. Sylvia kuchte even nerveus voor ze haar vraag stelde. 'Kon je geen borstcorrectie krijgen? Ze doen dat best wel mooi heb ik me laten vertellen.'
'Ik wilde dat niet,' verklaarde Bettie,' ik wilde geen vreemde dingen in mijn lijf, ik vond het zo al beroerd genoeg. Je begrijpt wel dat het een enorme rottijd is geweest. Gelukkig hebben ze, voor zover zichtbaar was, alle kwade cellen kunnen weghalen. Ik ben nog wel steeds onder controle. Oké, dat was mijn verhaal.'
'Het is een deel van je verhaal Bettie, het is voor mij duidelijk dat er meer is gebeurd.' Kate keek peinzend naar het gesloten gezicht van haar vriendin, de normale vriendelijke uitdrukking was volkomen verdwenen. 'Hoe heeft het thuisfront gereageerd op dit alles. Je zoon, je man?'
'Kevin wist er geen raad mee maar vond het natuurlijk heel erg voor me. Zijn vader was ook niet echt een goed voorbeeld van hoe je met zoiets omgaat. Kevin was nog maar veertien en dat is ook een moeilijke leeftijd. In het ziekenhuis wist hij met zijn houding geen raad en bleef niet langer dan tien minuten.'
'En Ernst?' vroeg Kate voorzichtig omdat ze vermoedde dat daar het probleem zat.
'Goed, ik zal maar open kaart spelen want jullie zijn natuurlijk

ook niet gek, vooral na de scene die ik maakte toen Sylvia had overgegeven. Ernst walgde van dit alles. Hij kon er niet mee omgaan, zei hij bot toen ik hem erop aansprak. Als ik moest overgeven liep hij naar zijn werkkamer. Tijdens mijn chemokuur zag ik hem maar sporadisch. Eten kon ik dan al helemaal niet dus hij at in de stad of bij zijn moeder. Kevin maakte zelf wat klaar of haalde wat. De lieverd probeerde wel steeds iets uit wat ik eventueel kon binnenhouden. Wat dat betreft kon zijn vader een voorbeeld aan hem nemen.'

'Van wie kreeg je hulp als je je zo rot voelde? Ik neem aan dat je je tussen de kuren door wel wat beter voelde.'

'Ja, dat wel. Ik had gelukkig af en toe wel iemand die zich om me bekommerde. De vrouw van mijn broer kwam geregeld en bij haar kon ik mijn ellende kwijt. Je weet dat ze zijn gescheiden maar ik heb met haar een beter contact dan met mijn broer. Mijn zus woonde te ver weg om geregeld te kunnen komen en bovendien had ze haar eigen gezin waar ze voor moest zorgen.'

'Hoe ging je zelf om met het hele gebeuren?' vroeg Sylvia weer. 'Ik geloof dat ik gek zou worden in jouw geval. Ik kan het op dit moment zelfs niet eens bevatten.'

'Je wordt zo gauw niet gek, Syl, en bovendien ben je al blij als je het overleeft.'

'Dat wel natuurlijk,' klonk het aarzelend.

'Weet je, dat ik zo nijdig werd omdat Emmy jouw troep opruimde komt omdat niemand dat in die periode ooit voor mij heeft gedaan. Meestal ging het goed maar een enkele keer ook niet en dan zat alles onder. Op zo'n moment voel je je dubbel ellendig en jankte ik m'n ogen uit mijn kop. Eigenlijk kun je niet verwoorden wat je meemaakt in zo'n situatie.'

'Ik heb veel bewondering voor je, Bettie. Je kleedt je altijd leuk en je bent meestal heel opgewekt en een voorbeeld voor ieder van ons. Het zal toch steeds een moeilijk moment voor je zijn als je onder de douche staat en de confrontatie met je lichaam aan moet. Wen je ooit aan zoiets?'

'Mijn verminking bedoel je, Sylvia? Nee, daar zal ik nooit aan wennen. Sterker nog, ik kijk er nooit naar en ik raak die plek zelfs niet aan. De spiegel zie ik pas als ik aangekleed ben en me opmaak.'

Het bleef even stil en niemand durfde verder te vragen.

'Ernst slaapt sinds ik uit het ziekenhuis ben gekomen in de logeerkamer. Jullie durven het niet te vragen dus vertel ik het maar zelf. Hij heeft me nooit meer aangeraakt, en we leven naast maar niet met elkaar in één huis. Hij heeft alle interesse in me verloren, laat dat duidelijk zijn. Jullie vonden het vreemd dat ik hem nooit belde sinds ik hier ben, nu, dat doet hij mij uiteraard ook niet.'

'Wat een zak,' schold Emmy hartgrondig, 'waarom blijf je in hemelsnaam bij hem? Hoe egoïstisch kan iemand zijn, het is te erg voor woorden.'

'Er zijn meer mannen die zo reageren. Omdat ik er niet mee overweg kon ben ik een paar maal naar zo'n praatgroep gegaan. Nou, wat je daar hoort daar zakt echt je broek van af. Sorry, je weet dat ik normaal zulke taal niet bezig maar als ik over die periode praat is alles koud en kil van binnen.'

'Ach, lieverd toch,' Emmy sprong overeind en knielde naast de stoel van Bettie en sloeg haar armen om haar middel. Bij dat gebaar barstte Bettie spontaan in huilen uit. Kate was er blij om want het brak de spanning een beetje. Niemand had Bettie ooit zo koud en onbewogen horen praten, het was gewoon om beroerd van te worden.

'Waarom blijf je bij die vent?' huilde Emmy met haar mee. Het was een vraag die de andere twee niet durfden te stellen. Bettie wreef met een zakdoekje haar ogen droog en legde even een hand op Emmy's hoofd. 'Ga maar weer zitten, liefje, het gaat wel weer.' Emmy gaf haar een kus en ging weer op de bank zitten.

'Ach, weet je, het maakt me niet zoveel meer uit. Kevin studeert in Rotterdam en wat moet ik dan alleen in dat grote huis. Ik woon er erg naar mijn zin en geniet van de heide. We gaan op een vriendelijke maar onpersoonlijke manier met elkaar om en hebben daardoor nooit onenigheid. Ernst heeft een gastvrouw nodig voor zijn zakenrelaties en ik vind het leuk om voor veel mensen te koken. Ik krijg er altijd veel complimenten over en dat doet me goed. Een complimentje is nooit weg, al is het maar omdat je goed kan koken, toch?' Het klonk bitter en gedesillusioneerd. Het sneed de anderen dwars door hun ziel.

'Kevin komt jammer genoeg niet zo veel thuis, hij kan tegenwoordig slecht met zijn vader opschieten. Hij komt meestal als Ernst op zakenreis is.'

'Heb je Kevin ooit gevraagd waarom hij niet met zijn vader door één deur kan?' vroeg Kate. 'Wanneer is die onvrede ontstaan, misschien wel na jouw ziekte.'

'Daar heb ik nooit over nagedacht, ja, dat zou best kunnen.'

'Vraag er Kevin dan een keer naar en praat het met hem uit. Je hoeft niet altijd iedereen te ontzien, dat doe je jezelf ook niet.'

Bettie zweeg en liet het op zich inwerken. Hoe kwam het toch dat je alles voor een ander zo helder kon zien en je blind was voor wat er onder je neus gebeurde.

'Goed, meisjes, jullie weten het nu en ik wil het graag ergens anders over hebben. Het is uiteraard niet mijn favoriete onderwerp. Maar ik ben blij dat ik het jullie heb verteld, het heeft me enorm opgelucht. Het hele gebeuren bleef als een donkere schaduw boven me hangen. Als je man er al niet over wil praten wie dan wel?'

'Ik ga met Duke uit,' kondigde Emmy opeens aan. De anderen begrepen wel dat ze er erg veel moeite mee had en het even de tijd wilde geven.

'Goed, kind, haal jij maar even een frisse neus.' Kate liep met haar mee naar buiten. 'Blijf niet te lang weg anders wordt Bettie ongerust. Ik denk dat ons gevoel aan het eind van de maand een stuk lichter zal zijn, denk je ook niet?' Emmy knikte maar zei er niets op. Ze lijnde Duke aan en stak toen even haar hand op.

Toen Kate weer in de kamer terugkwam was de stemming wat luchtiger geworden.

Sylvia vertelde dat haar Frits er een handje van had haar op te zadelen met onverwachte eters. 'Soms hoor ik om vier uur dat hij mensen meebrengt voor een borrel en een hapje, ik erger me daar kapot aan. Ik kan er honderd keer wat van zeggen maar hij heeft wat dat betreft een bord voor zijn kop. Je weet, ik ben geen kookster en laat dan altijd wat van de catering brengen, maar ook dat moet ik wel op tijd weten. Dus blijft het vaak bij een borrel en wat hapjes die ik trouwens kant en klaar in de vriezer heb liggen. Zo sla ik niet een al te gek figuur. Willen ze toch eten dan neemt Frits ze mee naar een restaurant in de buurt. Die zijn onderhand wel gewend aan de late reserveringen van onze zakenman Frits,' zei ze schamper.

'Wil je niet wat haute cuisine leren?' vroeg Bettie. Het is toch ook leuk om zelf te koken als je eigen familie of vrienden komen eten.'

'Ben je gek… Ik ben dol op eten maar niet om uren in de keuken te staan. Nee hoor, mij niet gezien. En mijn gasten waarderen de catering er des te meer om. We hebben een vast bedrijf die dat voor ons verzorgd.'

Inmidels was ook Emmy weer terug en maakten ze aanstalten om naar bed te gaan. Bettie was erg moe en verdween als eerste naar haar kamer. Het vertellen over die nare periode had haar erg aangegrepen al was ze blij het gedaan te hebben.

Kate kwam later nog even bij haar kijken en ging op de rand van het bed zitten.

'Bettie, loop niet langer weg voor de confrontatie met je geschonden lichaam,' ze legde haar hand op die van Bettie. 'Hoe beroerd het ook is het hoort nu bij je. Probeer vriendjes te worden met jezelf en je zult zien dat je op een gegeven moment er vrede mee zal hebben. Jij bent er niet anders door geworden, lieverd. Het zijn anderen die door hun houding jou dit hebben aangedaan, je weet wat ik je hiermee duidelijk wil maken.'

'Het is goed, Kate, bedankt. Ik ben blij er eindelijk met jullie over gesproken te hebben. Ik beloof je dat ik over wat je net hebt gezegd zal nadenken.'

Het weekend ging rustig voorbij. Er werd niet geschilderd maar geluierd. Kate en Sylvia waren zaterdagochtend naar de supermarkt gegaan om alles in te slaan voor de barbecue. Want grappig genoeg had Sylvia daar wél oren naar.

Ach, had ze gezegd, wij houden in de zomer geregeld een barbecue. De mannen in het gezelschap zijn daar erg goed in. Ze gedragen zich altijd als haantjes en staan dan druk gesticulerend met een vleestang in hun ene hand, de andere hand nonchalant in hun broekzak. Inwendig heb ik er altijd plezier in om die macho's gade te slaan. Ik zorg uiteraard dat er voldoende salades in huis worden gehaald. Maar het is altijd wel erg gezellig. En de afwas laat ik staan tot de volgende dag als mijn hulp komt, had ze er ondeugend aan toegevoegd. Kate had haar hoofdschuddend verweten dat ze een lui en verwend mirakel was.

Kate en Sylvia waren met het vlees op de barbecue bezig toen er werd gebeld. Bettie, die met Emmy de salades maakte, droogde haar handen af en ging naar de voordeur. Ze slaakte een kreetje van verrassing toen ze haar zoon zag staan. 'Lieverd, wat leuk, was je in de buurt?'

'Nee, mam, ik had het plan je hier een keer op te zoeken en dat doe ik dus nu. De verrassing is in ieder geval geslaagd aan je gezicht te zien.'

'Kom gauw mee naar de tuin. Je bent precies op tijd voor de barbecue.'

Ook de anderen waren verrast en vonden het leuk hem als gast te verwelkomen. Kevin nam de taak van Sylvia over die zich nu bezighield met het dekken van de grote tuintafel. Na een halfuur was alles zover klaar dat er gegeten kon worden. Kevin bleef in de buurt van het vuur om te zorgen dat het vlees niet verbrandde. Hij sloeg ongemerkt zijn moeder gade en hij vond dat ze er goed maar wel wat vermoeid uitzag. Kate onderschepte zijn blik en knikte hem hartelijk toe.

'We hebben het heel leuk met elkaar en praten wat af. Het mooie ervan is dat je wat makkelijker met dingen naar buiten komt waar je het normaal niet over zou hebben.'

Ze probeerde hem duidelijk te maken dat ze nu overal vanaf wisten. Kevin begreep direct wat ze bedoelde en hij was er dankbaar voor. Zijn moeder had te lang met haar verdriet en frustraties rondgelopen. Haar doorgaans vrolijke gedrag leidde hem niet om de tuin en hij probeerde er op zijn manier altijd voor haar te zijn. Maar het was logisch dat ze makkelijker met haar vriendinnen over haar problemen kon praten dan met hem. Hij hoopte nog steeds dat ze bij zijn vader vandaan zou gaan. Het klonk misschien wat ongewoon voor een zoon maar hij vond dat zijn moeder beter verdiende. Er was vast nog wel een man op deze aardkloot die respect en liefde voor zijn moeder kon opbrengen. De band met zijn vader was sinds haar operatie zwaar bekoeld. Kevin verweet hem zijn laffe karakter en zijn egocentrische manier van leven.

Kevin had sinds enkele weken een vriendin en daar wilde hij zijn moeder graag over vertellen. Als ze klaar waren met eten wilde hij met haar en Duke een wandeling maken.

De aanwezigheid van Kevin zorgde voor een luchtige en ontspannen conversatie. De enige die zich wat verwaarloosd voelde was Duke. Hij vond het prachtig dat Kevin er was, maar dat hij ver van al het lekkers werd gehouden vond hij minder geslaagd. Hij had zijn eten al gekregen maar de geur ervan haalde het niet bij dat wat bij vlagen zijn neus binnendrong. Kevin moest lachen als hij de neus van Duke zag bewegen en het water uit zijn bek zag lopen.

'Ach, geef die ouwe jongen ook een lekker hapje, hij heeft het niet meer van de spanning.'

Iedereen moest lachen om de komische houding van de hond en Emmy stond op om wat voor hem klaar te maken.

'Ja, lieverd, als je het zo snel opschrokt kan ik er verder ook niets aan doen. Je krijgt echt niets meer anders moeten we er vannacht om de beurt uit om met jou naar buiten te gaan.'

Duke kwispelde verwoed maar het leverde hem niets meer op.

Toen iedereen verzadigd was ruimde Kevin alles rond de barbecue op en Emmy en Kate brachten de vuile boel naar de keuken.

Bettie voelde zich gelukkig nu haar zoon er was en hij het prima met de vriendinnen kon vinden. Hij leek in niets op zijn vader en daar was ze blij om. Alleen uiterlijk waren er overeenkomsten met Ernst maar dat was alleen maar positief want Ernst zag er goed uit.

'Mam, ga je mee de hond uitlaten want zo te zien zit je alleen maar te dromen en komt er niets uit je handen. Maar daar heb je vriendinnen voor, nietwaar?' Hij trok haar uit haar luie stoel terwijl ze hem een draai om zijn oren probeerde te geven.

'Brutaal jong,' lachte ze, maar liep toch braaf met hem naar binnen waar ze de anderen waarschuwde.

'Ga jij maar lekker wandelen met je kind en hond, en laat de vieze troep maar voor ons staan,' plaagde Kate.

'Heb je mij iets bijzonders te vertellen, jongen, dat je me apart wilde hebben. Ik hoop wel dat het iets leuks is.'

Ze sloegen een bospad in en Kevin maakte de riem van Duke los die meteen met dolle sprongen er vandoor ging. Bettie had het stukje bos ontdekt toen ze op een avond het pad langs de velden afliep.

'Ik heb sinds een paar weken een vriendin, mam. Ze heet Esther en is net als ik twintig jaar.'

'Wat een verrassing, lieverd, ik ben echt zo blij voor je. Studeert ze ook?'

'Nee hoor, ze is gezinsverzorgster.'

'Hoe heb je haar dan leren kennen, via vrienden misschien?'

'Inderdaad. De moeder van een van mijn vrienden heeft een ongeluk gehad, de moeder van Stef, je kent hem wel. Ze hebben daar nog jonge kinderen die ook zorg nodig hebben, zodoende. Het is een schat van een meisje en ik denk dat jij haar ook graag zal mogen. Zo gauw je weer op honk bent breng ik haar een keer mee.' Ze waren op een bankje gaan zitten en keken uit over een weiland waar de koeien rustig graasden. Dieren die zich van het leven om hun heen niet bewust waren. Ze hadden geen last van stress op dit stukje nog altijd groen Nederland. Zolang niemand hun wereld bedreigde veranderde er niets in hun beleving.

'Ik vind het heel fijn voor je, Kevin, dat je nu een maatje hebt. Ik weet wel dat je ook een stel goeie vrienden hebt, maar met een vriendin bespreek je ook andere dingen en dat is heel belangrijk.'
'En jij, mam, heb je al met je vriendinnen gesproken over die dingen die jou al zo heel lang dwars zitten? Als iemand een maatje nodig heeft ben jij het wel.'
'Ik heb weer veel hoofdpijn gehad en naar aanleiding daarvan heb ik het ze verteld.'
'Ook over de houding van mijn pa?'
'Ja, alles. Ze reageerden heel emotioneel wat ik gek genoeg op dat moment zelf niet was, al kreeg ik daarna wel een forse huilbui. Ik heb het vrij zakelijk opgedreund alsof het een uit mijn hoofd geleerd lesje was.'
'En, hoe voel je je nu, opgelucht?'
'Ik weet het eigenlijk niet, jongen, het heeft allemaal zo lang opgesloten gezeten. Maar het komt wel in orde maak je maar niet bezorgd.'
'Mm, er moet zich af en toe toch iemand bezorgd om je maken. Maar kom, mam, dan gaan we langzamerhand weer op huis aan. Ik drink nog een kop koffie en verdwijn dan. Ik ben in ieder geval blij dat je het naar je zin hebt met de meiden.'
'Niet zo oneerbiedig, zoon, alleen Emmy heeft de leeftijd die ergens bij jou in de buurt komt.'

Na de koffie liep Kate met hem naar de auto. 'Fijn dat je bent geweest, Kevin,' zei ze hartelijk, 'het heeft je moeder echt goed gedaan.'
'En ik ben blij dat ze eindelijk het spook uit de kast heeft laten komen. Ik was destijds nog zo jong en had alleen maar verdriet omdat ze zo ziek was. Later besefte ik natuurlijk wel wat er zich op onbewust niveau had afgespeeld. Het was vreemd dat er steeds meer luikjes in mijn geest opengingen, vooral door het gedrag van mijn vader. Hij behandelde haar als iemand waar hij liever niets mee te maken wilde hebben. Het klinkt gek maar het is wel zo. Toen ik wat ouder werd begreep ik ook niet waarom ze apart slie-

pen, bij de ouders van mijn vrienden ging het er heel anders aan toe. Kijk, ik haat mijn vader niet, want haat vind ik altijd zo'n beladen woord. Maar respect of bewondering heb ik absoluut niet voor hem. Ik begrijp ook echt niet waarom mijn moeder bij hem blijft. Ze bevindt zich in mijn opinie in een vernederende positie. Ze zorgt voor mijn vader en is zijn gastvrouw. Eigenlijk is ze een soort veredelde huishoudster. En die luxe wil hij duidelijk niet kwijt.'

'Heb je weleens met je vader over dit alles gesproken?'

Kevin lachte schamper: 'O ja, in mijn onschuld ben ik er een keer over begonnen. Hij keek me aan of hij water zag branden. Jongen, zei hij, je weet van die tijd niets af, daar was je veel te jong voor. Ik weet niet wat je moeder je op de mouw heeft gespeld maar geloof me, ze was zo labiel dat ze van elke mug een olifant heeft gemaakt. Laat je er niet door misleiden en sterker nog, leef je eigen leven. Dat is de beste raad die ik je kan geven. Verder is die periode voor mij een dichtgeslagen boek dus vraag me er nooit meer naar.'

'Hemel, wat een hork, zonde dat ik het zeg,' viel Kate uit. 'Wat ben ik blij dat je op je moeder lijkt, innerlijk dan. Want uiterlijk lijk je wel op je vader, vertelde ze mij. Hij moet dan toch wel een knappe vent zijn,' sloeg ze een luchtiger toon aan. Ze gaf hem spontaan een kus die hij even spontaan beantwoordde.

Kevin stapte in zijn auto en tufte weg. Hij stak nog even zijn hand op naar zijn moeder die hem vanachter het raam nakeek.

Kate sloot de buitendeur en ging bij Bettie in de tuin zitten. De anderen waren druk kwebbelend bezig alle vaat op te ruimen en de restanten die niet in de machine konden af te wassen.

'Wat een fijne knul is jouw Kevin,' zei Kate hartelijk, 'je moet wel erg trots op hem zijn.'

'Dat ben ik ook. Heeft hij jou verteld dat hij een vriendin heeft? Ik hoop voor hem dat het een blijvertje is. Als ik weer thuis ben brengt hij haar een keertje mee. Dat zal dan gebeuren als Ernst op reis is.'

'Bettie, je zoon maakt zich ongerust over jou, weet je dat wel? Hij vindt dat je je laat gebruiken door Ernst en niets voor jezelf opeist. Sorry dat ik je ook weer de vraag stel, maar waarom blijf je bij die man?'

'Dat heb ik al verteld, wat moet ik alleen doen, ik houd van gezelschap om me heen.'

Kate keek haar verontwaardigd aan: 'En wat voor gezelschap… Ach, Bettie, laat naar je kijken. Je vergooit je leven voor zo'n egoïst en dat weet je zelf ook wel. Je bent een aantrekkelijke vrouw met een fantastisch karakter en dat verspil je aan hem. Wordt wakker alsjeblieft en maak nog wat van je leven.'

'Je hebt misschien wel gelijk, Kate, ik weet dat ik mezelf de laatste tijd voor de gek houd. Er is ook een vreemde onrust in me. Ik denk dat ik inderdaad de knoop maar moet doorhakken. Weet je, hij gedraagt zich al tijden heel vreemd en gespannen, er komen ook geen zakenlui meer over de vloer. Je weet dat hij in het bankwezen zit. Dat is jaren fantastisch gegaan en hij sloot de ene deal na de andere wereldwijd. Hij was altijd briljant in het vinden van de zwakke plek van zijn tegenstander en daar deed hij uiteraard zijn voordeel mee. Maar sinds de economische recessie is hij anders. Hij heeft soms een blik in zijn ogen die je bij een wild dier ziet dat op de vlucht wil slaan. Ik ben bang, Kate, bang voor waar hij mee bezig is. Ik heb nooit geweten wat hij precies deed en ik heb me er ook nooit druk om gemaakt, maar nu… Je hoort de meest bizarre verhalen en ook dat is wereldwijd. Er hangt een dreiging boven ons huis en dat is zelfs voelbaar ook als hij er niet is. Ik heb daar Kevin niet mee lastiggevallen, want als hij zich daar ook nog zorgen om moet maken!'

'Ik raad je aan dat wel te doen, Bettie, hij heeft het recht om te weten wat er speelt. Bovendien heb je al genoeg ellende alleen moeten dragen, dus doe me een lol en vertel hem waar je bang voor bent. Ik geloof zonder meer dat je angst gegrond is.

Maar hé, het is al laat, ik ga naar mijn kamer. Ga nog wat lezen want je bent nu veel te helder om te gaan slapen. Hier hoeven we niet met de anderen over te praten, dit blijft tussen ons. Truste, Bettie, je bent een moedig mens en dat meen ik.'

De zondagochtend verliep rustig en pas met de koffie waren ze compleet. Ze hadden met elkaar afgesproken dat de zondagochtend naar eigen idee mocht worden ingevuld. Er mocht uitgeslapen worden, en voor het ontbijt maakten ze dan zelf wat klaar. Iedereen was in een opperbest humeur en de zon, die iedere dag aan sterkte won, werkte ook mee. Loom dronken ze hun koffie en lagen daarna lui in hun stoel met hun gezicht naar de zon gekeerd.

'Hé, meiden,' klonk plotseling de opgewekte stem van Sylvia, 'laten we een vragenrondje doen. Ik kom weer even met Rik Felderhof op de proppen, want die had zo'n leuk spel met gerichte levensvragen. Als ze gingen varen of wat dan ook, reikte Rik hen de kaarten aan en liet hen de vragen beantwoorden. Laten wij dat ook doen maar dan zonder kaarten.'

'Mijn hemel, wat ben je weer duidelijk maar niet heus. We gaan een vragenkaartspel spelen maar dan zonder kaarten, juist ja!'

'Ach muts, die vragen bedenken we natuurlijk zelf. Maar geen vragen over onze problemen dat komt later wel. Ik zal zelf beginnen. Emmy, jij zit het dichtst bij me dus jij bijt de spits af.'

'Heel fijn, Syl, ik had niet anders verwacht. Steek maar van wal.' Ze knipperde tegen de zon in en sloot toen maar weer haar ogen.

'Wel alert blijven, Em, nou daar komt-ie dan. Wat is voor jou de fijnste ervaring of ontdekking geweest in je leven? Zeg het eerste wat bij je opkomt.'

'Tjee… Effe denken hoor! Ja ik weet het al. Mijn talent om te tekenen c.q. schetsen.'

'Oké, leg het ons uit. Wanneer was dat?'

'Een paar jaar geleden. Het was op een middag heel rustig in het kinderdagverblijf, bijna alle kinderen deden hun middagdutje. Twee jongetjes hadden geen zin in slapen en speelden in de hoek van de kamer met lego. Het donkere jochie was een driftig manneke en probeerde met redelijk veel geweld iets in elkaar te zetten. Het andere, blonde kereltje zat dromerig voor zich uit te staren. Hij had een pompstationnetje in zijn handjes en brak daar met enige regelmaat steeds een stukje vanaf zonder zich daarvan bewust te zijn. Plotseling had het andere kind het in de gaten en gaf hem een duw. 'Jij alles pot make,' zei hij en hij graaide het mishandelde speelgoedje naar zich toe. Om kort te gaan ze vlogen elkaar in de haren en aan brullen geen gebrek. Voorbij was de serene en rustige sfeer. Ik had een paar schetsen van de jochies gemaakt en de teamleidster die op het gebrul afkwam stond vol bewondering naar mijn schetsen te kijken. Ze wilde ze heel graag hebben en een week later hingen ze ingelijst in het kantoortje en toonde ze trots de schetsen aan ieder die ze wilde zien.

Dat was voor mij een openbaring, ik was ineens iemand. Het heeft me een reuze kick gegeven en zo ben ik bij jullie terechtgekomen. Niet verder vragen,' zei ze grijnzend, 'want dan komen we bij mijn probleem en dat was niet de bedoeling.' Sylvia knikte naar Emmy, nu moest zij een vraag stellen aan Bettie.

'Wat is jouw meest intense en positieve ervaring?' vroeg ze.

'Mm, even onderduiken. Je verwacht een vraag maar als die gesteld wordt weet je er even geen raad mee. Ja, ik heb het. Na mijn ziekteperiode was ik op een dag alleen thuis. Ik had die nacht slecht geslapen en was daardoor vroeg opgestaan. Ik stond voor het keukenraam en staarde naar buiten. Opeens werd ik me bewust van een adembenemend schouwspel dat zich voor mijn ogen openbaarde. Er hing een nevel boven de heide die alles aan het oog onttrok. Toen veranderde er iets, het was alsof een gordijn heel langzaam werd opengetrokken en je stukje bij beetje te zien kreeg wat zich erachter afspeelde. De zon filterde een prachtig licht erdoorheen. Het effect van de zon die door de nevel heen brak toverde een sprookjesachtig beeld. De heide was nog nooit zo paars geweest en de bomen en struiken hadden een onnatuurlijk groen waas. Ik kan niet beschrijven hoe mooi en ontroerend het moment was. De wolken waren nog niet goed zichtbaar, het ging eigenlijk in elkaar over. Er was geen horizon. Even later kwam de zon volledig door en daarmee verloor het sprookje zijn glans. Ik zal het nooit vergeten, en iedere keer als ik me daarna beroerd of ongelukkig voelde toverde ik me die fantastische beelden voor de geest.'

'Schitterend, Bettie, ik kon het toch ook een beetje zien en misschien de anderen ook.' Er werd bevestigend geknikt. 'Misschien moest het wel zo zijn,' zei Kate toen. 'Misschien is het je aangereikt om je te helpen, daar waar anderen het nalieten.'

Bettie glimlachte lief: 'Zo voelde ik het ook.' Ze stond op en liep naar de keuken om even bij zichzelf terug te komen. Even later liep ze met een blad met verse koffie naar de tuin terug.

Nadat de koffie op was stelde Bettie de vraag aan Kate. 'Wat is jouw meest verbijsterende ervaring geweest.'

'Goh,' zei Kate klagend, 'wat worden de vragen op een vreemde manier gesteld. Je weet er niet zo snel een antwoord op te geven. Maar goed, dit is wat me nu te binnenschiet. Een aantal jaren geleden maakte ik met een vriendin een rondreis door Amerika. Nou ja, door een déél van Amerika. We waren een paar dagen aan de kust van San Antonio toen we te horen kregen dat er een orkaan onze kant opkwam. In eerste instantie vonden we dat wel spannend en keken toe hoe alles beveiligd werd. Het hotel was heel eenvoudig maar de funderingen hadden al heel wat ellende doorstaan. Er stonden nog twee van die hotels aan dat stukje strand. Alles werd dichtgespijkerd. We zijn toen maar een kijkje in het dorp gaan nemen waar uiteraard een enorme bedrijvigheid heerste. Alles wat maar beschikbaar was werd rond de huisjes, meer veredelde hutten in onze opinie, gespijkerd en verzwaard. Volgens een van de bewoners, die redelijk Engels sprak, was er zelden sprake van dat de kern van een orkaan over dit aan de kust gelegen stukje paradijs kwam. Verderop aan de kust was dat wel het geval. Hoe dat mogelijk was kon hij me niet vertellen. Wel hadden de hotels het veelal zwaar te verduren omdat ze zo dicht aan het strand stonden. Ze vormden een beetje een beschutting voor het achtergelegen dorp.

We liepen terug naar het hotel en speurden de lucht af naar tekenen dat de orkaan eraan zat te komen. Voorlopig was dat niet het geval en we genoten nog een poosje op ons balkon dat later ook zou worden afgesloten. Enfin, tegen de avond veranderde er het een en ander. We konden niet meer naar buiten en zaten in de lounge te wachten tot het tijd was om te gaan dineren. Van de ene op de andere minuut werden we door een enorme herrie omgeven. Luiken rammelden en we hadden het gevoel dat het hotel opgetild werd om ergens anders neergesmeten te worden. Zo voelde het tenminste aan. Plotseling ging het licht uit, dus geen elektriciteit meer. Als voorzorg stonden overal kaarsen en olielampen. In de keuken werkte alles via een aggregaat en het diner kon worden afgemaakt. Dat wil zeggen, de vriezers en koelkasten konden blijven werken. Wel werd meegedeeld dat dit voorlopig de laatste warme maaltijd zou zijn. Voor de koffie en thee hadden ze een noodvoorziening. Nou ja, we begonnen het doodgriezelig te vinden maar het personeel bleef er stoïcijns onder en dat werkte kalmerend op de gasten. Het gebulder werd almaar heviger en ook barstte er een oorverdovend onweer bij los. Het leek het einde van de wereld wel. Al heeft niemand enig idee hoe het er dan aan toe zal gaan,' voegde ze er droog achteraan. De anderen zaten ademloos te luisteren. 'Nou, om het verhaal niet te lang te maken, het werd een angstige nacht die we gezamenlijk in de lounge doorbrachten. Zoveel geweld had niemand ooit meegemaakt. We werden prima verzorgd door het hotelpersoneel dat onvermoeibaar scheen te zijn. Rond zes uur de volgende ochtend viel er opeens een onwerkelijke stilte die haast nog griezeliger was dan het geweld van de afgelopen nacht. We konden weer naar onze kamers gaan en er werden voorbereidingen gemaakt voor het ontbijt. Er was nog geen elektriciteit. De luiken waren al weggehaald en we mochten later weer naar buiten. Mijn vriendin en ik gingen na het ontbijt kijken hoe het dorp er aan toe was en dat was erbarmelijk. De orkaan had deze keer iets meer huisgehouden en er stond geen huisje meer op zijn plaats. Het was verschrikkelijk om te zien. We waren heel bang dat er mensen waren omgekomen maar dat was gelukkig niet het geval. Midden in het dorp was een klein kerkje dat uit ruwe natuursteen was opgetrokken en dat stond er eigenlijk als een solide vesting. Als de klok werd geluid gingen alle dorpbewoners als een speer naar een gebouw, van dezelfde structuur als het kerkje, dat aan het eind van het dorp stond. Daar waren ze net zo veilig als dat wij in het hotel waren.

Dat gebouw had vele functies. Er was een dokterspost, en verder diende het wijkgebouw voor allerlei activiteiten, kinderopvang en ga zo maar door. We waren dolgelukkig dat de bevolking gespaard was gebleven. De rest van onze vakantie hebben we met de wederopbouw van het dorp geholpen.

Ik kan niet beschrijven hoe verbijsterd we waren toen we de ravage zagen. Het zo vriendelijk uitziende dorpje met zijn bloementuintjes, de mooie oude bomen, alles lag plat. Natuurlijk hadden de hotels ook aardig wat schade opgelopen maar dat kon weer snel verholpen worden. Oké, dat was mijn verhaal.'

'Wat moet je bang geweest zijn die nacht,' rilde Sylvia, 'ik zou het echt op mijn zenuwen hebben gekregen.'

'Echt iets voor jou om je vakantie die nog maar net was begonnen op te geven om daar te helpen,' zei Emmy met bewondering. Bettie was onder de indruk van het verhaal en zat nadenkend voor zich uit te kijken.

'Het is frappant wat zo'n vragenrondje losmaakt,' verwoordde Emmy hun gevoelens. 'We houden maar even een pauze voordat als laatste Sylvia aan de beurt is. Ik ga de soep opzetten, heeft iemand trek? Ik zal er wat stokbrood bij snijden.' Ze vonden het een prima idee maar staken geen hand uit om haar te helpen. Ze bleven lui in hun stoelen liggen en dachten na over de verhalen die de ronde hadden gedaan. Sylvia was benieuwd wat de vraag van Kate aan haar zou zijn. Hopelijk zou het niet op zo'n ellenlange toestand uitdraaien zoals bij haar het geval was geweest. Maar ja, zo'n gebeurtenis vertel je niet in vijf zinnen. Zelf ging ze ook graag naar dat soort landen maar ze had er nooit bij stilgestaan dat ook zij en Frits in eenzelfde situatie terecht hadden kunnen komen. Brr… ze schoof die gedachte maar snel van zich af.

Nadat ze van hun soep hadden genoten en ieder weer onderuitgezakt in hun stoel lag stelde Kate haar vraag aan Sylvia. 'Syl, wat is jouw vroegste herinnering uit je jeugd, dus echt toen je nog heel klein was.'

'Weer zo'n moeilijk onderwerp,' zuchtte Sylvia. Ze sloot haar ogen en probeerde zich te ontspannen. Even later deed ze haar ogen weer open en keek het kleine kringetje rond.

'Ik heb soms een flashback gehad. Een ervan is dat ik nog een peuter was. Ik zag mezelf op de grond zitten naast de kachel. Ik had een gehavende teddybeer in mijn handen. Hij had een lelijke, okergele kleur. Zijn ogen, die er waarschijnlijk waren uitgepulkt, waren met zwart ijzergaren kruislings dichtgenaaid en ook zijn neus. Ik pulkte wat aan zijn oren en keek met grote verbaasde ogen de lege kamer in. Er was niemand en ik hoorde ook geen geluiden. Daar houdt het op. Niet wereldschokkend, ware het niet dat daar een gevoel bij hoort. Een intens eenzaam en verlaten gevoel. Een gevoel dat je wel eens hebt ook al zit je in een overvolle kamer.'

'Ja, ik ken dat gevoel,' zei Bettie ernstig. 'Maar toch geloof ik dat wat je als peuter ervoer anders is, het dieper gaat, dat het zich wellicht in je latere leven herhaalde ook al was je je daar niet van bewust.' Getroffen keek Sylvia haar vriendin aan, ze had de spijker op zijn kop geslagen.

'Inderdaad,' gaf ze haperend toe. 'Ik voel het nu ook maar het heeft niets met jullie te maken. Het is zuiver een associatiegevoel, een herkenning. Gut, wat bizar, ik word er beroerd van.'

'Dat intense gevoel zal denk ik de rode draad in je leven zijn waardoor je bent wie je nu bent,' verkondigde Emmy met grote wijsheid.

'En dus bewaren we dat voor later,' besliste Bettie. 'Gaan we nog iets doen voor het eten, een stukje rijden en op een terrasje wat drinken?' Eenstemmig werd het plan goedgekeurd. Ze zouden later het overgebleven vlees op de barbecue leggen en er wat stokbrood met kruidenboter bij maken. Er was verder ook nog genoeg over voor een salade waar Emmy zich over mocht ontfermen.

Ze kozen dit keer voor een zaakje dat midden in Schagen lag, ze hadden echt behoefte aan wat bedrijvigheid en aan mensen.

'Hè, lekker, even de eenzaamheid van de tulpen ontvluchten,' deelde Sylvia op krachtige toon mee. 'Het is allemaal erg leuk maar de bollen komen onderhand mijn neus uit.'

'Gut, en je hoeft ze niet eens te eten, je bent wel een ondankbaar mormel hoor!' Emmy trok aan haar haren en dat ging niet zachtjes.

'Au, beul, kun je wel... Zal ik jou eens een ruk aan die paardenstaart van je geven?' Ze deed een uitval maar die werd behendig ontweken.

Het was een waar genoegen om naar de mensen te kijken die langs het terras liepen. Af en toe smoorden ze een lach of gaven hardop commentaar. Sommigen liepen er ook zo zot bij. Twee vrouwen liepen zo innig verstrengeld naast elkaar dat Emmy hen met opgetrokken wenkbrauwen nakeek. 'Die zijn duidelijk niet alleen maar vriendinnen,' oordeelde ze. 'Raar eigenlijk hè, dat als vrouwen zo lopen je er amper erg in hebt en als mannen zo lopen wordt er vaak aanstoot aan genomen.'

'Ja, en ik vind dat wel logisch,' weerlegde Sylvia, 'vrouwen hebben meestal een wat lichamelijker relatie, door gearmd te lopen bijvoorbeeld, en dat valt niemand op. Maar nu wil ik een heerlijke sorbet, wat willen jullie?'

Bettie wilde een dame blanche, Kate vers fruit en Emmy wilde ook wel een sorbet.

'Hoe denk jij eigenlijk over die gayparade?' vroeg Sylvia terwijl ze door het rietje de siroop opzoog.

'Ik vind het prima, Syl, het is gewoon een evenement zoals zo velen,' zei Emmy rustig, 'ik heb er niets op tegen, jij wel?'

'Ja, ik wel! Ik vind het belachelijk met je voorkeur voor sekse te koop te lopen. Je hebt toch ook geen heteroparade? Ik vind het belachelijk hoe ze er vaak bij lopen.'

'Oké, het is uitdagend en soms provocerend, maar och, je hoeft er toch niet naar te kijken als je dat niet wilt,' mengde Kate zich in het gesprek. 'Als iedereen zich eens wat toleranter zou opstellen naar de ander toe waren we al een eind in de goede richting.'

'Sorry, ik ben het niet met je eens,' volhardde Sylvia in haar mening. 'Ik vind het aanstootgevend, punt uit!'

'Meisjes, we zitten gezellig op een terrasje in de zon. Kijk om je heen en geniet van wat je ziet. Prachtige bomen, een oud kerkje en bloeiende struiken eromheen.' Bettie probeerde het gesprek een andere draai te geven, want ze hield niet van discussies die alleen maar feller werden zonder dat er begrip was voor de mening van de ander. Sylvia haalde haar schouders op en wijdde zich aan haar sorbet.

'Zelfs de burgemeester van Amsterdam is op zo'n dag aanwezig,' deed Emmy een laatste duit in het zakje. Niemand reageerde en even later stapten ze op.

In een iets minder gezellige stemming arriveerden ze bij het huis waar Bettie onmiddellijk de keuken indook. Kate kwam bij haar staan en gaf haar een knipoog terwijl ze een fles wijn openmaakte. 'Kom je ook zo?' vroeg ze toen. Bettie knikte en maakte een zak borrelnootjes open die ze in een schaaltje schudde.

De stemming was weer opgeklaard toen het vlees op de barbecue lag te sissen. Sylvia nam een stukje stokbrood dat ze in de pindasaus doopte. 'Volgens mij worden we nog eens een stokbrood,' deelde ze de anderen met een diepe zucht mee. 'We hadden moeten turven de hoeveelste dit is. Stokbrood voor bij de borrel, bij de barbecue, bij de soep, getver, het gaat me echt tegenstaan.'

'Ach, mijn lieve kind, dan eet je het toch niet, niemand dwingt je ertoe voor zover ik weet,' zei Kate verveeld. Ze werd soms moe van het eeuwige gezeur van haar.

'Ik vind het leuk dat we het weekend naar Texel gaan,' zei Emmy met haar mond vol.

'Foei kind, eet eerst je mond leeg voor je gaat praten,' berispte Sylvia haar, 'zo heb ik je toch niet opgevoed.'

'Nee, oma, ik heb mijn mond leeg mag ik nu wat zeggen?'

'Vooruit dan maar. Ik vind het trouwens ook een goed idee er even uit te zijn. Den Burgh heeft leuke winkeltjes in het centrum. En ik voel ook wel voor een lange strandwandeling, lekker uitwaaien.'

'En je houdt niet van wandelen,' weerlegde het enfant terrible. Bettie en Kate zuchtten maar eens, er was af en toe geen goed garen te spinnen met die twee. Bovendien zou het prettig zijn als ze eens een poosje hun mond hielden, het was net een stel kakelende kippen.

's Avonds namen ze alle vier een gezichtsmasker, vakkundig aangebracht door Sylvia die haar beautycase op de tafel had gezet. Onderwijl zou ze ieders nagels lakken.
'Ik hoef geen lak op mijn nagels,' griezelde Emmy. 'Nog even en ik ga er als een mondaine vrouw uitzien.' Iedereen lachte en Emmy lachte gezellig mee.
'Jammer voor je, maar deze keer onderwerp je je aan mijn schoonheidsbehandeling,' besliste Sylvia. 'Kijk eerst hoe je het allemaal vindt en dan kun je het er later altijd nog afhalen. Waarom laat je je haar niet eens knippen, je hebt echt wel mooi haar. Die paardenstaart is goed voor tieners.'
'Nog meer commentaar Syl, ik wil mezelf nog wel herkennen als ik in de spiegel kijk,' reageerde Emmy boos. 'Ik zeg toch tegen jou ook niet dat je wel wat minder make-up op je gezicht mag smeren. Het lijkt of je iedere avond naar een gala moet.'
'Zo zeggen we elkaar de waarheid,' grinnikte Kate. 'En eerlijk gezegd hebben jullie allebei wel een beetje gelijk. Wat de een te veel doet heeft de ander te weinig. Beetje vreemde zin maar oké, jullie begrijpen de clou wel. Je hebt prachtige kleuren nagellak, Syl. Jouw beautycase lijkt wel een parfumeriewinkel, zo uitgebreid.'
'Ach, ja, een mens moet wat,' zei ze bescheiden, 'je moet toch ergens je geld aan uitgeven.'
'Wat een belachelijke instelling, je bent echt decadent, Sylvia.'
Totaal niet beledigd pakte Sylvia Emmy's weerspannige rechterhand en bracht vakkundig een kleurloze lak aan op de nagels.
'Fijn dat je niet voorstelt blauw of groen erop te smeren,' stribbelde Emmy nog even tegen.
'Och, zwart is tegenwoordig ook in, maar helaas, die heb ik niet in mijn voorraad. Ik ben een beetje te oud voor die indianenkleuren. En praat niet zoveel, je masker moet je huid ontspannen. Laat het nu maar over je heen komen.'
Nadat alle nagels van handen en tenen waren gelakt, werden de maskers afgespoeld en werd het gezicht met een zachte crème nabehandeld.

'Dat heet niet smeren,' zei Sylvia verontwaardigd tegen Emmy die haar plagerig uitlachte.

'Oké, ik wil vanavond iemands levensverhaal horen,' zei Bettie. 'Ik hoop ook dat we onze schilderijen voor het weekend nog afkrijgen.'

'Je wilt wel veel, Bettie, alles op zijn tijd hoor!' oreerde Emmy met een uitgestreken gezicht. 'Maar ik vind dat Sylvia de beurt heeft. We hebben ons vanavond aan haar schoonheidsbehandeling overgeleverd en nu mag zij vertellen waarom ze er altijd zo gesoigneerd bijloopt.'

Sylvia wilde haar vinnig van repliek dienen maar Kate voorkwam dat. 'Vat toch niet bij alles vlam wat Emmy zegt, ze bedoelt het niet hatelijk, ze plaagt je alleen maar.'

'Dat weet ik wel maar ze lokt het wel uit. Trouwens, er wordt vanavond niets uit de doeken gedaan over mijn leven. We zijn al genoeg diepzinnig geweest dacht ik zo! Bovendien neem ik geen masker om mijn huid te ontspannen om hem daarna vol rimpels te laten komen omdat ik moet nadenken over wat ik wel of niet wil vertellen. Ik ga lekker in bed liggen lezen, wat denk je daarvan? Ik heb een mooi boek en ook nog wat modebladen dus daar kies ik liever voor!'

'Niet eens zo'n gek idee,' viel Emmy haar onverwacht bij. Het is tien uur en eigenlijk te laat voor wereldproblemen. Ik ga er ook lekker lui bij liggen met een boek.'

'Oké, doen jullie waar je zin in hebt, ik ga nog even in de tuin zitten,' zei Bettie. 'Kate en ik laten Duke straks wel uit.'

Emmy was de eerste die in bed lag en uit het nachtkastje een boek opdiepte. Sylvia rommelde nog wat in de tas onder haar bed. Ze hengelde er een omvangrijk blad uit en wierp dat Emmy toe. 'Ik heb dit blad voor je gekocht omdat er een aantal artikelen over kinderdagverblijven in staat en ook wat interviews met ouders van de kinderen. Ik dacht dat je dat wel interessant zou vinden,' zei ze wat onverschillig. Verrast keek Emmy naar de vrouw in het andere bed en kreeg een kleur van genoegen.

'Bedankt, Syl, wat attent van je.'

Er werd wat gemompeld en opnieuw dook Sylvia in haar tas onder het bed. Ze gooide nog een pakje naar haar toe. 'Hier, nog een cadeautje en dat is het dan wel. Ik had het met die andere spullen gekocht toen ik naar de stad was.'

Emmy pakte het uit en hield een nacht T-shirt in haar handen met een foto van Duke erop.

'Wat gaaf, joh,' reageerde ze verbaasd, 'nogmaals dank, ik doe het gelijk aan.' Ze trok het vale T-shirt over haar hoofd en gooide het naast haar bed. Sylvia keek naar het tengere figuurtje. Emmy was veel te mager oordeelde ze, je kon haar ribben tellen. Hoewel haar huid erg bleek was waren haar borsten klein en mooi van vorm. Ook had ze mooie handen met spits toelopende vingertoppen en nagels, en ze had mooie kleine voeten. Wanneer je sommige modellen bekeek waren ze qua uiterlijk en figuur wel mooi maar hadden ze vaak lelijke voeten. Sylvia nam haar nog eens goed op. Als Emmy iets zou aankomen en een goeie coupe voor haar kapsel zou nemen, kon ze op een bijzondere manier een aantrekkelijke jonge vrouw worden.

Sylvia ging rechtop in haar kussens zitten: 'Em, waarom besteed je niet wat meer aandacht aan jezelf. Je hebt heel goede kwaliteiten, je figuur, je handen. De structuur van je gezicht is ook heel apart, fijne trekken en mooie contouren. Het lijkt wel of ik je voor het eerst zie. Je zou een bijzondere persoonlijkheid kunnen zijn, Em, en heel aantrekkelijk.'

Bij die woorden trok er onmiddellijk een grauwsluier over het gezicht van Emmy en snel trok ze het nieuwe nachthemd naar beneden en het dek omhoog. Ze draaide zich om met haar gezicht naar de kast.

'Dat is nou precies wat ik niet wil zijn,' zei ze gesmoord. 'En houd er alsjeblieft over op, Syl. Bedankt voor je cadeautjes maar bij nader inzien ga ik liever slapen.'

Het bleef even stil aan de andere kant van de kamer. 'Daar zit dus jouw probleem,' zei ze zacht. 'Iemand heeft jou zodanig bezeerd dat je je verbergt achter een onverschillig masker. Wij zullen je helpen, Em, dat is een belofte. Kom, ga lekker in je blad lezen, je staat er niet meer alleen voor. Ik mag dan oppervlakkig lijken maar dat heeft evengoed een diepere reden.' Ze pakte een modeblad van het bed en bladerde dat door zonder nog naar Emmy te kijken die met een boos gebaar haar tranen afveegde. Na een paar minuten ging Emmy rechtop zitten en pakte het blad van het voeteneind. Ze zeiden geen van beiden veel maar de lucht was gezuiverd.

Nadat de hond was uitgelaten en van brokjes en water was voorzien gingen Bettie en Kate met een warme trui aan en een pot verse koffie in de tuin zitten.

'Vreemd stel zijn onze Sylvia en Emmy, maar toch geven ze veel om elkaar. Ze durven alleen niet de confrontatie met elkaar aan te gaan.' Ze wisten natuurlijk niet dat er een halfuur daarvoor een begin mee was gemaakt.

Bettie legde haar benen op een bankje en nam de beker koffie aan die Kate had ingeschonken.

'Ik denk dat ze elkaar onbewust een spiegel voorhouden. Het zijn tegenpolen en die trekken elkaar nu eenmaal aan.' Bettie nam voorzichtig een slokje van de gloeiende koffie. 'Volgens mij hebben ze beiden een houding aangenomen waar ze hun werkelijke ik achter verbergen. Ik ben heel benieuwd wanneer ze daar achter vandaan komen.'

'Ken jij die Frits? Het lijkt me een beetje een zelfingenomen mannetje. Sorry, ik weet dat we het daar al eerder over hebben gehad, maar…'

'Ik heb hem wel eens gezien, en ja, mijn kleur is het niet. Maar hemel, wie ben ik om over een andere man te oordelen.'

'Mm, ik begrijp wat je wilt zeggen. Maar ooit ben je verliefd op Ernst geweest en heb je van hem gehouden neem ik aan. Waar heb je Ernst eigenlijk leren kennen?'

'Op een Nieuwjaarsborrel. Ik was directiesecretaresse van een zakenrelatie van Ernst, en een toonbeeld van hoe zo'n secretaresse eruit diende te zien. Stijf in een keurig mantelpak en dito bloes, een middelmatig hakje onder degelijke schoenen,' ze lachte even spottend, 'en mijn haar op de juiste manier gekapt. Ernst was er kennelijk van onder de indruk en begon een gesprek met me over het wel en wee van het bankwezen. Natuurlijk had ik geleerd overal over mee te kunnen praten dus het was voor mij geen enkel probleem zijn aandacht gevangen te houden.'

Kate schoot in de lach: 'Ik zie het voor me! Maar ik dacht altijd dat dat soort mannen op verleidelijke types vielen. Zogenaamd keurig netjes maar met een vleugje o zo onschuldig raffinement.'

'Niet bij het bankwezen destijds. Wat ze op hun zakenreizen uithaalden zag je niet af aan die uitgestreken gezichten. Maar goed, ik viel kennelijk bij Ernst in de smaak en ik vond hem om te zien zeker de moeite waard. We gingen een paar keer uit eten en toen vroeg hij op een gegeven moment of ik me tijdens die etentjes wat minder formeel wilde kleden. Weet je, ik viel ook op zijn hoffelijk optreden, stoel aanschuiven in een restaurant, en het portier openen als ik uit de auto stapte en dat soort dingen.'

'Was dat niet om een glimp van je verleidelijke benen op te vangen als je rok wat omhoog schoof bij het uitstappen?' grinnikte Kate.

Bettie proestte het uit: 'Je hebt te veel fantasie. Maar ach, misschien heb je wel gelijk. Ik had best een goed figuur in die tijd en mijn benen mochten er zeker wel wezen.' Ze keek naar haar benen op het bankje en zuchtte vertwijfeld. 'Tja, tijden en mensen veranderen…'

'Oké, Bettie, maar hoe verliep de romance verder.'

'Omdat Ernst voor een vrij lange periode naar Amerika vertrok leek het ons beter dat we voor die tijd trouwden. Ik zou als zijn secretaresse meegaan.'

'Kon je hem gelijk in de gaten houden,' gniffelde Kate.

'Jij vindt het wel leuk hè, sensatiemens! Om het verhaal niet al te lang te laten zijn, we trouwden toen we elkaar een halfjaar kenden. Voordat we naar Amerika vertrokken hebben we onze huwelijksreis op Aruba doorgebracht. We mochten het huis gebruiken van ook weer een zakenrelatie van Ernst. Het lag aan een prachtige, romantische baai en we hebben er heerlijke weken gehad.

We zagen haast geen mensen, maar alleen elkaar. Het waren meteen ook de mooiste weken van ons huwelijk ooit. Zo lief en hartstochtelijk hij toen was, zo snel bekoelde het toen we in de bewoonde wereld waren, zijn wereld. Ik kwam al gauw tot de ontdekking dat niet ik, maar het zakendoen zijn grootste passie was. Ik paste mooi in het plaatje, letterlijk zowel als figuurlijk.'

'Vind je het erg als ik het niet helemaal begrijp?' zei Kate met een diepe frons boven haar ogen. 'Ik neem toch aan dat hij van je hield... En je zoon is ook niet uit de lucht komen vallen.'

'Kevin was het befaamde ongelukje. Ernst wilde geen kinderen vertelde hij later. Ik ben natuurlijk ook schuldig aan het hele gebeuren. Ik had niet zo snel moeten toehappen toen hij mij ten huwelijk vroeg. We kenden elkaar nog maar oppervlakkig. Maar goed, oppervlakkig is het gebleven. Hij was hoegenaamd niet nieuwsgierig naar mijn zielenroerselen, gaf hij te kennen, dus ik moest hem daarmee maar niet lastigvallen. Emoties waren vervelend en daar had hij geen tijd voor. Ik was, voor Kevin werd geboren, zijn rechterhand in het zakendoen en later de gastvrouw voor zijn relaties. De rest van het verhaal ken je. Vanaf dat ik ziek werd betrok hij me niet meer in zijn wereld en ging ons huwelijk al snel bergafwaarts.'

'Hadden jullie voor je ziek werd wel een goed seksleven?'

Bettie lachte schamper: 'Zijn orgasme bestond uit het binnenhalen van een goeie deal. Meid, je had hem dan moeten zien. Zijn ogen straalden, en als een haantje liep hij met zichzelf te pronken. Walgelijk gewoon. Ach, Kate, op de keper beschouwd was zijn huwelijk met mij gewoon een goeie deal die hij had gesloten. Alleen had de ambtenaar van de burgerlijke stand het niet in zijn speech vermeld. Ik heb hem ooit gevraagd of zijn liefdesspel tijdens onze huwelijksreis was gespeeld of dat ik hem op dat punt was tegengevallen. Je had de verbazing op zijn gezicht moeten zien! Nee kind, zei hij toen met een minzame grijns, hoe kom je erbij? Het was een fantastische tijd maar ik ben over het algemeen niet zo op seks belust als mijn soortgenoten.

Het klonk banaal en zo bedoelde hij het ook. Ach, schat, waarom toegeven aan vermoeiende lage lusten als er hogere doelen te bereiken zijn. Fijntjes hè?'

'Allemachtig, wat een loser, ik heb er gewoon geen woorden voor. En daar heb jij de mooiste jaren van je leven aan opgeofferd, niet te geloven!'

'Ik weet wel dat je gelijk hebt en ik zie het nu ook zo, maar ja, er speelden andere dingen mee. Kevin bijvoorbeeld. Ik heb ervan genoten mijn kind op te voeden en ik had gelukkig een goed contact met mijn familie en vrienden. Ik miste Ernst ook niet echt. Misschien had ik een andere strategie moeten toepassen en hadden we wellicht wel een behoorlijke relatie gehad, ik weet het niet! Ze zeggen altijd dat in zo'n geval er twee schuldigen zijn.'

'Laat naar je kijken, Bettie, je gelooft het zelf toch niet hoop ik? Maar goed, ik ben blij dat je ogen nu zijn opengegaan en je voor jezelf gaat opkomen. Kevin zorgt er wel voor dat je je plannen voor een echtscheiding niet laat verzanden. Voor zijn leeftijd is het een bijzonder wijze knul. En wij staan natuurlijk achter je besluit.'

Kate stond op om naar het toilet te gaan en liet Bettie met een onbestemd gevoel achter. Hoewel Kate gelijk had vroeg ze zich toch wel af waarom zij zo fel van leer kon trekken als het om relaties ging. Wat zou er in haar eigen leven zijn gebeurd om die houding te rechtvaardigen? Er zaten aan elke zaak twee kanten en Bettie was zich daar goed van bewust. Je kon de schuld niet alleen bij de ander neerleggen vond ze terecht.

HOOFDSTUK 4

De rest van de week werd besteed aan het voltooien van de schilderstukken. Het was nu donderdag en morgen in de ochtend zouden ze naar Texel vertrekken.

Het zonnescherm was naar beneden, en de stukken stonden een eindje uit elkaar te drogen zodat ze voor de ander verborgen bleven. Ze gingen naar binnen om wat fris te drinken en te bedenken wat ze die avond wilden eten. Eenparig werd besloten wat pizza's te laten bezorgen. Lekker makkelijk en weinig vuile vaat in de keuken. Ze schreven hun voorkeur voor de pizza op een briefje en Sylvia belde het door, om een uur of zes zouden ze gebracht worden.

Om vier uur gingen ze de tuin weer in om elkaars werk te beoordelen.

Ze begonnen bij Bettie. Ze zette haar ezel naar de anderen toe die op hun eigen manier hun mening erover zouden geven. Het tulpenveld was een aquarel, in pasteltinten weergegeven. Er ging een tere schoonheid vanuit die iedereen aansprak. De lucht boven het veld was eveneens in tere kleuren weergegeven. 'Mooi, Bettie,' Emmy was de eerste die er wat over zei. 'Hoe heb je die zachte tinten kunnen krijgen? Het is haast onwerkelijk.'

'Na die regen en onweersbui verleden week was de lucht precies zoals ik hem hier heb weergegeven. Ik heb de kleur van de tulpen erbij aangepast.'

'Het is inderdaad heel delicaat van kleur,' mijmerde Kate, 'schitterend.'

Sylvia knikte bevestigend.

De volgende was van Emmy. Ze had met een heel fijn penseel gewerkt en het geheel in zwart-wit gehouden. Een enorm contrast met het werk van Bettie maar niet minder mooi. Scherpe lijnen, en geen tulp stond er hetzelfde bij. Hier was met een vrije hand en fantasie gewerkt en het effect was heel apart.

'Wat een talent, jongens, op de cursus was dat minder duidelijk waar te nemen.' Kate keek er met bewondering naar. Ook Sylvia, maar die trok een vreemde grimas. 'Mijn werk zal afsteken bij dat van jullie, zal ik het alvast bij het vuil zetten?'

'Doe niet zo stom,' snauwde Kate, 'we doen hier niet aan een minderwaardigheidsgevoel hoor! We hebben alle vier een sterk verschillend karakter en dan is het logisch dat je dat weerspiegeld ziet in de manier van schilderen. Ik toon je nu mijn werk en dan zul je zien hoe sterk dat eveneens afwijkt.' Kate haalde de doek eraf en hier en daar viel er een mond open. Het tulpenveld was zeer surrealistisch weergegeven. Kate werkte met olieverf. Sommige stukken waren sterk aangezet en dat ging over in een vaag kleurenschema waar geen patroon in zat. De lucht was dreigend, af en toe doorbroken door een speelse wolkenpartij. Maar het meest opvallend was dat je over het hele doek de contouren van elk gelaat van de vriendinnen kon waarnemen. Elk gelaat had een eigen uitdrukking, en ze hadden weinig moeite zich erin te herkennen. Alleen Kate ontbrak, maar er was wel een vogel die met wijd uitgestrekte vleugels naar beneden dook tussen de tulpen alsof zich daar een prooi bevond. Het was adembenemend en griezelig tegelijk. Ze hadden niet gemerkt dat Kate was verdwenen en keken verdwaasd om zich heen.

'Hemel, wat moet ik hier van zeggen.' Sylvia was de eerste die haar mond opendeed. 'Het is boeiend, dat wel. Het is echt een kunstenares, onze Kate. Die vaag verveelde uitdrukking op mijn gezicht liegt er niet om. Je moet wel heel goed kijken om onze gezichten eruit te halen, maar wij kennen haar werk, dat soms heel bizar is.'

'Mm, de angstige uitdrukking op mijn gezicht is ook heel duidelijk,' zei Bettie wat bedrukt.

'Ja, wel lullig zeg zoals zij ons ziet,' liet Emmy zich verontwaardigd horen. 'Ik lijk wel een vogelverschrikker op een stormachtige dag.' De anderen schoten zenuwachtig in de lach. Het schilderij van Kate had hen niet alleen verrast maar had ook aardig wat losgemaakt.

Kate, die zich inmiddels weer bij de anderen had gevoegd zei: 'Kom, meisjes, laten we proosten op de schone schilderkunst waar we deze keer alle vier onze ziel in hebben gelegd. Alleen jij nog Syl.' Kate deelde de glazen rond en hief haar eigen glas omhoog. 'Ik geef straks wel uitleg maar nu eerst het werk van onze Syl.'

Tja, dat stond wel in hevig contrast met de werken van de andere drie. Sylvia werkte met acrylverf. Haar schilderij was zo fel van kleur dat ieder met zijn ogen knipperde. Rood, geel, oranje en zelfs blauw, de kleuren knalden van het doek. Zelfs boven de tulpen was de lucht rozerood gekleurd. En toch had het een zekere bekoring, daar waren ze het over eens. Alleen, na het werk van Kate was het even schrikken.

'Erg hè?' Sylvia trok een schuldbewust gezicht.

'Nee, Syl, helemaal niet erg! We hebben alle vier iets van onszelf op het doek gebracht, en ik denk dat we onbewust er meer in hebben verwerkt dan dat we normaal doen. Dat kon deze keer omdat we vrij waren in onze expressie en we niet met regels hadden te maken. We hebben een bijzondere opdracht aan onszelf gesteld en ik denk dat we daar in geslaagd zijn. Jullie hebben je in mijn schilderij herkend en je afgevraagd waar ik in het plaatje voorkwam.'

'Jij bent de vogel, nietwaar?' vroeg Emmy kalm. 'Jij hebt je probleem aan ons getoond maar nog niet verteld. Ik vind het weergaloos knap van je. Maar jij steekt ook met kop en schouders boven ons uit wat de kunst betreft. Laten we onze schilderijen in de berging zetten dan kunnen we er later wellicht nog over discussiëren.'

'Wat ben je stil, Sylvia,' zei Bettie even later. 'Jouw schilderij vertelt misschien nog meer dan dat van ons. Het heeft de kleuren van een paradijsvogel en zo uit jij je toch het liefst?'

'Ja,' zuchtte Sylvia verdrietig, 'en daar zit ook tegelijk mijn probleem. Ik vertel het vanavond wel, dan ben ik er vanaf!'

'Goed, liefje,' Bettie gaf haar hand een hartelijk drukje.

Na het eten van de verrukkelijke pizza's en bij de koffie met likeur begon Sylvia aan haar verhaal.

'Ik ben enig kind en mijn moeder pronkte graag met haar snoezige dochtertje. Ik zal straks een paar foto's laten zien, ik sta er inderdaad op als een aangekleed prinsesje. Mijn moeder is coupeuse geweest en naaide alles zelf. Jammer genoeg vond ik het prachtig zoveel aandacht te krijgen en heel mijn schooltijd ging dat zo door. Mijn moeder gaf leuke feestjes en ik had daardoor veel vriendinnen. Alles was goed georganiseerd en ook mijn moeder genoot daarvan. Mijn vader was een goedzak en liet al dat gedoe, zoals hij het noemde, gelaten over zich heen komen. Tot aan mijn werkzame leven speelde ik overal de eerste viool en ik dacht dat het mijn leven lang zo door zou gaan. Niet dus! De eerste scheur in mijn vlekkeloos bestaan was de dood van mijn vader. Ik was hevig aan het puberen toen de klap viel. Van de ene op de andere minuut was hij er ineens niet meer. Achteraf besefte ik dat ik veel meer van mijn vader had gehouden dan van mijn moeder. De dood van mijn vader leek weinig verandering in het leven van mijn moeder te brengen. Op een gegeven moment begreep ik dat ze toneelspeelde en dat ze dat haar hele leven had gedaan. Ze kon niet buiten de aandacht van mensen om haar heen, en ze bleef mij daarin betrekken, voor zover ik het toeliet. Mijn vader had ons goed verzorgd achtergelaten, al waren de eerste jaren zeker geen vetpot zoals ik al eerder heb verteld. Het feest voor haar ging daarna gewoon door.

Mijn moeder verongelukte toen ik net was getrouwd. Ik was verdrietig maar gek genoeg ook opgelucht. Ik kon eindelijk normaal gaan leven. Geen opgesmukte verhalen meer en geen feestjes waar Frits overigens nooit mee naartoe ging. Ik kreeg drie kinderen en was best tevreden met mijn leven. Toen belandde Frits, wat vroeg misschien, in een midlifecrisis. Van een redelijk normale huisvader werd hij een verschrikkelijke flirt. Hij kon zijn ogen van geen enkele vrouw afhouden en hoe uitdagender ze eruitzagen hoe meer hij zijn best deed hun aandacht te krijgen. Af en toe geneerde ik me dood. Ellendig genoeg was ik de laatste twee jaar aardig gaan uitdijen en hij kon me soms met een heel afstandelijke blik opnemen. Ik voelde mij er zeer onprettig onder, en hoewel ik er altijd voor zorgde dat ik er goed uitzag besloot ik er een schepje bovenop te doen. Het wierp al snel zijn vruchten af want als we samen naar een zakenborrel gingen, of naar een receptie, trok ik aardig wat ogen naar me toe. Uiteraard ontging dat Frits niet en hij had toen het lef te zeggen dat ik eruitzag als de eerste de beste del. Een knallende ruzie was het resultaat en daarna spraken we een aantal weken niet met elkaar. De kinderen waren er gek genoeg niet erg van onder de indruk en volgden ons alsof we in een soap speelden. Dat gaven ze later ook ruimschoots toe. Ze wisten als het ware dat we toch niet buiten elkaar konden en gewoon bezig waren elkaar de loef af te steken. Ach, die overgang toch, konden ze zo meewarig zeggen als we elkaar met een ijskoude blik begroetten.

En ja, ik ben me nadien zo blijven kleden omdat ik me daar goed bij voelde. Frits ging er aan wennen, ook al omdat tijdens de etentjes bij ons thuis hij altijd complimenten kreeg over zijn o zo charmante vrouw. Hij kon soms wel jaloers reageren maar ik maakte geen misbruik van het feit dat ik wist hoe zijn zakenvrienden over mij dachten. Het ging weer redelijk goed tussen ons en de crisis leek tot het verleden te behoren.'

'Je zei 'leek',' merkte Kate spits op. 'Ik vind eerlijk gezegd je verhaal niet echt wereldschokkend, en ik heb dan ook sterk de indruk dat je iets belangrijks achterhoudt.'

'Ik denk het ook,' viel Bettie haar bij. 'Het heeft volgens mij niets met dat eenzame kind te maken dat in de kamer zat met haar gehavende teddybeer in haar armen.'

Sylvia slaakte een bibberende zucht: 'Er ontsnapt ook niets aan jullie aandacht.'

'Hoe was jullie liefdesleven?' vroeg Emmy zacht. 'Je kunt op een bepaalde manier wel de aandacht krijgen maar dat zegt niets over de gevoelsmatige beleving ervan.'

Enigszins verbaasd keken ze naar Emmy die de spijker op zijn kop leek te slaan. Sylvia kleurde licht en bestudeerde een ogenblik haar nagels.

'Frits is een vrij oppervlakkige persoon,' lichtte ze toe, 'anders

dan jouw Ernst, Bettie, dat wel. Hij houdt van me daar ben ik zeker van. Hij is echter geen knuffelbeer waar ik juist behoefte aan heb. Hij uit zijn genegenheid door een onverschillige aai over je hoofd of een klap op je schouder. Zo gaat hij ook met de kinderen om en die hebben er voldoende aan, maar ik niet. Om op ons liefdesleven terug te komen waar Emmy op doelde, daar zit inderdaad het probleem. Vanaf de eerste keer dat we met elkaar naar bed gingen was het al een eenmansactie. Eerst dacht ik ach, je moet aan elkaar wennen en leren hoe je de ander kunt plezieren. Maar helaas, het is altijd zo gebleven. Ik heb er later wel eens met hem over gesproken en hij reageerde stomverbaasd. Vrouwenpraat, vrouwenblaadjesonderwerpen en ga zo maar door. Het kwam geen moment in hem op dat ik het serieus meende. De seksbeleving van een man kon je nu eenmaal niet vergelijken met die van een vrouw. Een stomme dooddoener maar iets anders kwam er niet uit. Ik durfde hem niet voor te stellen om samen naar een seksuoloog te gaan want nee, aan hem mankeerde niets. Ik mocht dan in de ogen van een man sexy overkomen maar daar hield het volgens hem dan wel mee op. Misschien was ik zelfs frigide en kon ik beter zelf een arts raadplegen. Ik was lamgeslagen door zijn ongevoelige reactie en heb het er later nooit meer met hem over gehad. Omdat ik ondanks alles toch van hem hield heb ik het allemaal maar over me laten komen, en hij heeft nooit gemerkt hoeveel moeite het mij kostte. Ach, ik was beslist niet de enige die zo'n seksleven had. Je hoeft er de bladen maar over op te slaan. En ja, op die momenten was ik eenzaam, net als het kind in die kamer. Je voelt je op zo'n moment eerder een object dan een echtgenote. Een niet onbelangrijk item is ook het afgewezen worden. Jij als persoon doet er niet toe. Het is een kil gevoel dat zich moeilijk laat omschrijven.'
'Maar waar komt dat gevoel dan vandaan, de reden moet dan toch in je jeugd of bij je ouders liggen,' veronderstelde Bettie. 'Het is duidelijk een associatiegevoel, ofwel oorzaak en gevolg.'
'Ik weet het niet, ik dacht toch dat ik genoeg aandacht van mijn ouders, en vooral van mijn moeder had gekregen.' Sylvia dacht

diep na en beet daarbij nerveus op haar lip.

'Syl, kan het niet zo zijn dat het pronken met jou tot meerdere glorie was van je moeder,' opperde Kate op een vreemde harde toon. 'Je ziet dat ook bij de moeders van jonge cheerleaders, en bijvoorbeeld bij de moeders die hun schattige kroost zo nodig moeten blootstellen aan de reclamewereld. Het is zelden onbaatzuchtig, zowel financieel als commercieel. Nogmaals, het gebeurt vaak tot hun meerdere eer en glorie. Sorry, Syl, het klinkt hard maar het is wel zo! Je zegt net dat je je bij Frits op zo'n moment een object voelde, dat komt toch echt bij je moeder vandaan. Voor haar was je ook een object waar zij de eer van opstreek. Bevrediging dus. Het had evenmin met jou of met liefde te maken.'

Beduusd door de scherpe toon van Kate stond Sylvia op en liep naar haar kamer.

'Nou, dat was het dan, en zonder dat we weten waardoor dat gevoel ooit is ontstaan.'

Bettie keek haar vriendin opmerkzaam aan. 'Vond je het nodig haar op die manier ermee te confronteren?' vroeg ze rustig, 'volgens mij haal je nu twee oorzaken door elkaar, die van haar en die van jou. En bovendien is het jouw zienswijze, maar wie zegt dat het zo is?'

Kate haalde haar schouders op, voor haar was er geen andere uitleg mogelijk en had ze wel degelijk gelijk. Maar misschien was ze te cru geweest en viel dat zowel bij Sylvia als bij Bettie verkeerd.

Sylvia kwam de kamer binnen en ging weer bij de anderen zitten. Ze hield haar roodbehuilde ogen naar de grond gericht.

'Sorry, Syl, het was niet mijn bedoeling je te kwetsen,' verontschuldigde Kate zich toen maar. 'Maar we hebben alle drie het gevoel dat iets anders de oorzaak moet zijn voor jouw eenzaam kindbeeld. Het beroerde in dezen is dat je ouders allebei zijn overleden en je ze niets meer kunt vragen.'

Sylvia knikte bevestigend en dacht diep na. 'Er speelde nog iets anders. Afgezien van ons gewone seksleven vroeg, of nee, dwong

Frits me af en toe dingen te doen die ik niet wilde. Als ik er dan toch maar aan toegaf speelde dat kille gevoel nog meer op dan normaal het geval was. Ik wilde daarna wegkruipen in een hoekje, zoals het kind, en me het liefst onzichtbaar maken.'

Ze hadden niet in de gaten dat bij Emmy de tranen over haar wangen liepen. Het kwam haar zo bekend voor, menigmaal had ze hetzelfde gevoeld, ze was dan naar haar kamertje gevlucht, had haar deur op slot gedaan en was diep onder de dekens gekropen. 'Hé, Em, wat is er met jou?, grijpt het je zo aan?' vroeg Bettie ontdaan.

'Het laatste wat Syl vertelde komt me erg bekend voor. Ik wil er nu niet over praten als je het niet erg vindt.'

'Nee, natuurlijk niet, kind,' Bettie stond op en sloeg haar armen om Emmy heen.

Sylvia bezag het enigszins cynisch; er was niemand naar haar toegekomen om haar te troosten. Het was het oude liedje, Sylvia moest niet zeuren.

Kate zag de stemmingswisselingen op het gezicht van Sylvia en ging naast haar zitten. 'Trek het je niet aan, Syl, we hebben jouw verhaal nog niet verwerkt, en Emmy's reactie verbaasde ons. Jouw verhaal is heel complex en er kunnen meerdere oorzaken zijn, dit nog even terzijde.'

'Het verbaasde mij ook,' zei Sylvia eerlijk. 'Ik ben trouwens bang dat haar verhaal nog schrijnender zal zijn. Maar laten we het voor vanavond gezien houden en het over ons komende weekend naar Texel hebben. Hebben jullie al een tas ingepakt?'

'Nee, maar dat is zó gebeurd. Ik maak nog even verse koffie, daar zijn we wel aan toe, en daarna zoeken we ons bedje op.'

Ze liepen samen naar de keuken en zorgden voor de koffie. 'Iets erbij?' vroeg Sylvia.

'Wel ja, ik lust wel een lekkere plak ontbijtkoek met dik boter. Kom, dat doe ik wel even!'

Emmy was inmiddels weer zichzelf en pakte het blad aan waar Kate mee binnenkwam.

'Lekker, meisjes, daar had ik nu echt behoefte aan,' lachte Bettie.

'Anders ik wel,' Emmy beet met graagte een stuk koek af.

Toch bleef bij iedereen een vaag onvoldaan gevoel knagen. Bettie sprak er nog even over met Kate tijdens het uitlaten van Duke. 'We kunnen niet doordringen tot de kern van dat gevoel en dat is tamelijk frustrerend. Het eenzame en kille gevoel was er al voor Frits in the picture kwam. Al heeft hij onbewust dat gevoel wel stevig aangewakkerd.'

'Ik begrijp niet dat in een relatie dit soort dingen spelen,' zei Kate peinzend. 'Als je van elkaar houdt dan respecteer je toch dat iemand niet aan al jouw wensen tegemoet kan komen. Er zijn stellen genoeg die niets leuker en spannender vinden dan met seks te experimenteren en dat is ook hun goed recht, mits het van twee kanten komt.'

'Ik heb er ook nooit wat voor gevoeld en wat dat betreft was Ernst een makkie.'

'Ja, zo kun je het ook zien,' grijnsde Kate ondeugend. 'Maar het is jammer dat Syl niets meer bij haar ouders kan achterhalen, al ligt de schuld volgens mij voor een groot deel bij haar moeder.'

'Ja, en nee,' klonk Bettie bedachtzaam, 'er kan ook iets met het kind gebeurd zijn waar de moeder niets vanaf heeft geweten. Ik vermoed dat dat ook bij Emmy het geval zal zijn. Daarom zoek ik het ook in die richting. Ach, je hoort toch tegenwoordig niet anders, hoeveel kinderen zijn er op de een of andere manier misbruikt? De een minimaal en de ander ernstig. Maar in beide gevallen kan er een trauma zijn ontstaan dat een leven lang doorwerkt. We zijn wel een lekker stel met onze problemen zeg!'

'Joh, als je honderd vrouwen en mannen zou interviewen zou je je verbazen wat die allemaal hebben meegemaakt. Alleen heeft het bij de een een grote invloed op hun latere leven en bij de ander niet. Ik geloof dat als je een goed huwelijk hebt, en samen met je kinderen en familie kan opschieten, het oude zeer niet naar boven hoeft te komen. Een positief leven compenseert vroeger opgedaan leed. Alleen is dat niet voor iedereen weggelegd.'

Ze waren weer bij het huis aangekomen en Bettie verzorgde Duke die even later heerlijk voldaan in zijn mand sprong. Bettie hoorde een diepe voldane zucht en moest er om glimlachen. Was het leven maar zo simpel als dat van die lieve Duke. Eten en een veilig, liefdevol onderkomen maakte van hem een uiterst gelukkige hond. Wie had het nou over een bar en boos hondenleven?

Ze vertrokken de volgende dag al vroeg en hadden besloten ergens onderweg gezellig te ontbijten. Ze gingen opnieuw met de grote wagen van Bettie. Er was niet zoveel bagage te verstouwen dus met wat passen en meten ging het wel. Bovendien was het geen lange tocht. En Duke had zijn eigen plekje achter in de bak.

Ze zouden de hond bij een dierenpension vlakbij Oudeschild afleveren. Niemand vond het leuk maar in het hotel mochten geen honden. Bij het pension, dat heel vrij lag, was een grote ommuurde tuin waar ze tweemaal per dag konden spelen en rennen.

Duke keek een tikje beteuterd toen Bettie de riem aan de vrouw van het pension overgaf. Emmy had tranen in haar ogen maar Bettie verzekerde haar dat het best goed zou gaan. Het was niet de eerste keer dat Duke uit logeren ging.

Ze hadden de boot vanaf Den Helder rond elf uur genomen. Er stond een lichte bries en ze verkozen dan ook om aan dek te blijven en vast iets van de zilte zeelucht op te snuiven. Kate en Emmy haalden koffie en ze genoten van de gezellige overtocht. De sfeer was ontspannen en ze hadden zich voorgenomen alleen maar over leuke ervaringen te praten en de sores achter zich te laten.

Na hun aankomst in 't Horntje reden ze direct naar hun hotel in Oudeschild nadat ze de hond hadden afgeleverd. Bettie had geopperd een huisje te huren maar Sylvia was daar vierkant tegen geweest.

'Nee,' had ze gezegd, 'ik heb geen zin weer zelf voor alles te moeten zorgen. Ik wil me nu een paar dagen laten verwennen, en aardig of niet, ik wil een eenpersoonskamer. Ik bedoel daar niets ten nadele van Emmy mee maar ik wil gewoon badderen en doen waar ik zin in heb op mijn eigen kamer.'

Al waren ze verbaasd door de plotselinge uitbarsting van Sylvia, ze hadden er uiteindelijk ook wel begrip voor. Sylvia was erg op haar privacy gesteld en kon uren tuttelen aan zichzelf. Het was in het huis óók Emmy's kamer, en het stond haar soms tegen dat die binnenviel op momenten die ze voor zichzelf wilde hebben. Toen kwam de vraag of ze een kamer voor drie moesten nemen of dat een van hen ook een eenpersoonskamer wilde. Daar had Kate wel oren naar en zo werden hun kamers besproken.

Emmy was heel stil geweest, ze had het gevoel door de anderen afgewezen te zijn en dat Bettie nu als enige verplicht met haar opgescheept zat. Bettie, die het merkte, had haar toen even apart genomen.

Het gaat niet om jou, had ze zacht gezegd, ik vind het gezellig jou op mijn kamer te hebben en dat meen ik. Kate is een beetje een einzelgänger en Syl een ijdeltuit, dus blijven wij simpeltjes over. Lach erom, lieverd, en voel je niet altijd gelijk in een hoek gedrukt dat is nergens voor nodig.

Het was een aardig hotel en niet ver van het strand. Ze verheugden zich op de avondwandeling die ze zouden gaan maken. Sylvia had de fraaiste kamer, Kate een wat kleinere en de andere twee hadden een ruime kamer met aparte bedden. Ook had iedere badkamer een douche en een bad, heel luxe dus.

Sylvia fladderde door de kamers en trok zich toen terug om uitgebreid een bad te nemen en zich te kleden om te gaan winkelen in Den Burg.

'Wat een Kaat Mossel is het toch,' lachte Kate. 'Jullie zijn allebei flamboyante verschijningen, qua uiterlijk en hoe jullie je kleden, maar waar jij toch een ingetogen indruk maakt spat bij haar de energie er vanaf. Heb je gezien hoe ze op de boot alle ogen naar zich toe trok, en zo piep is ze ook niet meer.'

'Toch heb ik na onze gesprekken de indruk dat het bij haar echt uiterlijke schijn is. Ze is het zo gewend en ik vraag me af hoe de werkelijke Sylvia eruitziet...' zei Bettie ernstig.

'Ik denk toch dat we na onze vakantie allemaal veranderd zullen zijn,' zei Emmy, 'of in ieder geval ons leven anders gaan inrichten. Ook Sylvia zal deze houding niet haar leven lang kunnen volhouden. De uitdrukking in haar ogen past vaak niet bij haar uitbundige gedrag.'

'Dat heb je goed gezien, Em, maar ik ga me even opfrissen want over een halfuur gaan we weg heb ik met Syl afgesproken.' Ook Kate trok zich terug op haar eigen kamer.

Op hun gemak slenterden ze door Den Burg en dronken koffie met gebak in een leuke zaak waar ze in de serre zaten en naar het voorbij wandelende publiek konden kijken.

'Raar,' zei Bettie op een gegeven ogenblik, 'we voelen ons nu echt op vakantie terwijl we dat al twee weken zijn. Hoe zou dat komen, we zijn daar toch ook vrij om te doen en laten wat we willen.'

'Misschien komen de tulpen onze oren uit zoals ik al eerder aangaf, dat zou toch kunnen?' grinnikte Sylvia. 'Tulpen, beladen schilderijen en zware gesprekken, noem dat maar vakantie! En bovendien moeten we ook nog eens alles zelf doen en koken… Nee, lieve kinderen, dìt is pas vakantie.'

'Ach, wat heb je het toch zwaar, verwend meisje. Het valt ook niet mee af en toe je handjes te laten wapperen. Wat doen we met het diner, eten we in de stad of in het hotel?' Kate rekte zich uit en zakte toen weer genietend onderuit in haar stoel.

Eenparig werd besloten om in het hotel te eten en daarna naar het strand te gaan om uit te waaien.

Vlakbij het restaurant waar ze koffie hadden gedronken was een leuk warenhuis waar ieder op zijn gemak kon rondsnuffelen. Ze hadden afgesproken elkaar om drie uur bij de uitgang weer te treffen. Met zijn vieren winkelen is een ramp, ieder wil ergens anders kijken en wordt dan opgehouden door de ander. Dit was een betere oplossing, alleen botste Bettie toch iedere keer op Emmy die een beetje met haar ziel onder haar arm liep. 'Sorry, Bettie, maar ik ben nooit zo dol op grote winkels en bovendien wil ik helemaal niets kopen. Ik ben ook geen type die etalages gaat lopen kijken alleen voor de fun.'

'Loop maar met mij mee, dan gaan we zometeen ergens wat drinken. Ik geloof dat er op de eerste etage een restaurant is.'

'Wat heb jij gekocht?' vroeg Emmy even later toen ze aan de warme chocolademelk zaten.

'Een trui voor Kevin en een leuke sjaal voor zijn vriendin. Kevin vertelde me dat ze daar van hield en ook van welke kleur. Ik heb haar nog niet ontmoet, maar ik heb er een goed gevoel over. Voor mezelf heb ik niets gekocht. Wel zag ik in een prachtige bloemenzaak een paar leuke potten voor in de tuin. Die haal ik morgen wel op.'

'Ik sms even naar de anderen dat we hier in het restaurant zitten, misschien hebben ze er ook wel behoefte aan iets te drinken.'

Een kwartiertje later voegden Kate en Sylvia zich bij hen. Kate met een bescheiden tasje en Sylvia zoals gewoonlijk met een flink aantal plastic tassen. Met een grote zucht liet ze zich in haar stoel vallen.

'Goed idee van jullie om hier neer te strijken, ik verga van de dorst.' Ze bestelde een groot glas bier en viel daar genietend op aan.

Rond zes uur gingen ze in het hotel aan tafel. Sylvia had een poosje op haar bed gelegen en de anderen hadden er ook even hun gemak van genomen.

Emmy tikte op de deur van Sylvia: 'Kom, Syl, we gaan eten.'

Enigszins slaperig opende Sylvia de deur en liep met Emmy mee naar beneden.

Het hotel had een goede kaart en die werd uitgebreid bestudeerd. Als voorgerecht namen ze meloen met ham omdat ze zin hadden om met iets fris te beginnen. Kate en Bettie namen biefstuk, Emmy een kipsalade en Sylvia een mixed grill.

'Eet maar niet te veel, meisje,' plaagde Kate, 'we moeten nog aan onze avondwandeling beginnen. En vooral onze Syl, die zo graag wandelt.'

'Ja, dat is waar ook, kunnen we dat niet tot morgen uitstellen?'

'Om de dooie dood niet,' reageerde Emmy fel, 'afspraak is afspraak.'

'Oké,' zei Sylvia sussend, 'jullie kunnen toch zonder mij gaan?'

Het lukte niet, want niemand gaf haar de kans te ontsnappen aan de wandeling.

Het was fris maar helder weer en het was goed te doen. Ze hadden zich warm aangekleed, en zelfs Sylvia genoot en had er geen spijt van dat ze meegegaan was.

In het hotel dronken ze nog een kopje koffie en hielden het tegen halftien voor gezien. Ze gingen naar boven en trokken zich op hun eigen kamer terug.

'Ik vind het toch wel gezellig dat ik niet alleen hoef te slapen,' verkondigde Emmy opgewekt, 'na de afgelopen veertien dagen had ik het erg saai gevonden.'

Bettie knikte en ging naar de badkamer om zich in haar nachtoutfit te hijsen nadat ze had gedoucht. Haar borstprothese borg ze in een tas die ze in de badkamer had gezet. Ze wilde niet dat Emmy het zag, misschien overdreven, maar het was wel haar zwakke plek. Erover praten is één, maar het gebrek tonen was wat anders. Emmy zat al rechtop in haar bed, zij had gedoucht voor ze gingen eten.

'Mag ik je haar borstelen?' vroeg Emmy opeens, 'je hebt zulk prachtig haar.'

'Als je dat leuk vindt,' zei Bettie verbouwereerd. Ze ging op een stoel zitten en onderwierp zich aan een stevige borstelbeurt. Gaandeweg leek het meer op een hoofdmassage en even later legde Emmy de borstel neer om inderdaad haar hoofd te masseren. Ze begon bij haar slapen en werkte zo naar boven, en eindigde in haar nek. Dat herhaalde ze een aantal keren. Bettie zat doodstil en langzaam ontspande niet alleen haar hoofd en nek, maar haar hele lichaam. Emmy sloeg haar handen af en legde ze daarna nog even om Betties hoofd.

'Zo, en nu ga je slapen.' Ze trok Bettie voorzichtig overeind en stopte haar teder in. 'Ik zag allang aan je dat je weer hoofdpijn had maar je wilde het voor ons niet bederven. Slaap lekker, Bettie.' Ze gaf haar een kus en zag nog net dat er tranen in de ogen van Bettie stonden.

Bettie sliep al gauw terwijl Emmy haar tot die tijd goed in de gaten hield. Ze was van Bettie gaan houden zoals een kind van haar moeder kan houden. Met haar handen onder haar hoofd gevouwen lag ze nog lange tijd wakker.

De volgende ochtend na het ontbijt besloten ze de helft van het eiland te gaan verkennen, en de volgende dag de andere helft. Ze zouden maandagmorgen pas vertrekken.
Ze reden via Oosterend naar Cocksdorp en maakten een lange wandeling door de duinen. Bettie voelde zich weer kiplekker dankzij de behandeling van Emmy. Ze spraken er niet over maar Bettie zond haar af en toe een warme glimlach toe. Ze waren voor hun doen erg rustig.
'Zouden we uitgepraat zijn?' vroeg Sylvia, 'het is wel eens fijn als iedereen zijn mond houdt.'
'Wel,' zei Kate op een lijzige toon, 'begin er dan zelf mee zou ik zeggen.' Sylvia stak haar tong uit en baldadig gaf ze haar een zet zodat ze harder ging lopen, het duin af. Grinnikend sloeg Bettie het groepje gade want ook Emmy had zich in het strijdgewoel gemengd. Gillend van de lach renden ze naar beneden, elkaar steeds voortduwend, totdat Sylvia zich hijgend aan een paal vastklemde.
'Ik kan niet meer, genade alsjeblieft,' ze haalde een zakdoek uit haar vest en zwaaide ermee rond.'
'Wie is er begonnen, jij toch?' Emmy gaf haar nog even een flinke por in haar zij.
Enigszins gekalmeerd liepen ze op een uitspanning af die midden in het duingebied stond. Ze bestelden koffie met cake en een toefje slagroom.
Het werd geen toefje maar een toef, en ook op de koffie ging een gezellige berg slagroom.
'Allemachtig,' zeiden ze tegen de dame die hen bediende, 'hoeveel keer moeten we het duin op en af gaan tot deze hoeveelheid calorieën weer is verbrand?'
De vrouw lachte hartelijk: 'Jullie hebben toch vakantie, nou, dan mag je wel een beetje verwend worden. Ik vind jullie een gezel-

lig stel en dan geef ik wel eens wat extra.'

Dat beloonde het viertal door een flinke fooi te geven. Daar keek de vrouw weer verbaasd naar.

'Ach, weet je,' oreerde Bettie met een stralende lach, 'wij vinden u een gezellig en spontaan mens en dan geven we wel eens wat extra.'

Ze schoten hartelijk in de lach en werden enthousiast uitgezwaaid door de vriendelijke vrouw.

'Grappig hè, zoiets maakt je dag extra leuk. Er zijn al te veel chagrijnen op deze aarde, vinden jullie ook niet?'

'Grandioos, lieve Syl, het is een waarheid als een koe.' Kate gaf haar een waarderend klopje op haar kruin.

Ze wandelden daarna nog even door het stadje en gingen toen weer op weg naar het hotel. Onderweg haalde Bettie de potten voor haar tuin op in Den Burg en daar dronken ze nog wat op een terrasje.

De lucht begon te betrekken en donkere wolken verzamelden zich boven de zee dat een vreemd lichteffect veroorzaakte op het water. De witte schuimkoppen staken fel af tegen de wolken en leken ermee samen te smelten. Ze bleven er in de auto nog even naar kijken.

'Wat sneu nou toch, we kunnen vanavond niet gaan wandelen,' zei Sylvia op schijnheilige toon.

'Zolang het niet regent, lieve meid, houdt niets ons tegen,' lachte Kate haar uit.

Tijdens het diner bleef Sylvia hoopvol naar de lucht kijken maar er viel nog geen spatje uit.

Een uurtje later worstelden ze tegen de wind in en Sylvia was de enige die het niet kon waarderen.

'Watje,' schold Emmy goedmoedig en trok haar aan haar arm mee. Moe maar toch voldaan kwamen ze terug in het hotel waar ze een warme chocolademelk bestelden. Ze hadden de eerste slok nog niet genomen of de hemel scheurde open en de regen sloeg met felle vlagen tegen de ramen.

'Zullen we hier beneden een kaartje leggen?' vroeg Sylvia terwijl ze haar blik losmaakte van de regen buiten. 'Ik vind het niet zo gezellig om nu naar mijn kamer te gaan.'

De anderen vonden het een goed plan en de avond werd gezellig doorgebracht met een hapje en een drankje waarop Sylvia trakteerde.

'Emmy,' zei Bettie toen ze lekker behaaglijk in hun bed lagen,' als dit alles boven je begroting gaat wil ik graag dat je me dat vertelt. Al die extra dingen slokken het huishoudgeld op en we hebben al aardig wat bij moeten leggen. Dan ook nog dit weekend met de etentjes en dergelijke... Je betaalt zonder te verblikken of verblozen maar ik vermoed toch wel dat het een probleem voor je wordt. Ik wil graag bijpassen en je moet je daardoor niet beledigd voelen alsjeblieft.'

'Dat zou ik wel zijn als je het in bijzijn van de anderen aanbood. Maar ik heb nog wat reserve hoor! Ik heb deze maand niets voor mijn broer hoeven te betalen omdat hij voor twee maanden een leuk baantje heeft weten te bemachtigen. Dus dat kwam goed uit. Bovendien, zoals ik al heb verteld, leef ik vrij eenvoudig en geef weinig uit aan pleziertjes of aan kleding bijvoorbeeld.'

'Oké, maar je geeft het aan als het niet meer gaat hè? Nu praten we er niet meer over maar ik reken erop dat je het in je achterhoofd houdt.'

Die nacht was het noodweer op Texel en afgezien van de regen en wind vielen er af en toe ook een paar oorverdovende onweersklappen.

De volgende ochtend was de lucht opgeklaard en een waterig zonnetje begroette hen aan de ontbijttafel. Sylvia zag wit en ze was danig uit haar humeur.

'Hallo, schoonheid, met je verkeerde been uit bed gestapt?' informeerde Emmy liefjes.

'Houd je mond als je niets zinnigs hebt te zeggen,' foeterde Sylvia. Ze nam zo schielijk een broodje van de schaal dat de koffie van Emmy over de tafel droop en op haar broek terechtkwam.

'Hé, kun je niet uitkijken? Als je een pestbui hebt blijf dan op je kamer.' Emmy sprong op maar het was al te laat, haar broek zat onder de vlekken.

'Maak je niet druk om die paar spatten,' klonk het hatelijk, 'je ziet er toch niet uit dus wat doen die paar vlekken extra ertoe!'

Het bleef even stil aan tafel, toen zei Kate met ijskoude stem: 'Ik wil nu dat je naar boven gaat. Neem maar een broodje in een servet mee. Je hebt deze keer een grens overschreden.'

'Zeg, je bent mijn moeder niet, hoor! Ik blijf waar ik ben en als jullie je eraan storen ga dan zelf maar ergens anders zitten.' Brutaalweg belegde ze haar broodje dik met ham en zette er haar tanden in.

Emmy had een dikke keel van ingehouden tranen maar ze bleef dapper zitten. Ze spoelde de brokken brood die bleven steken weg met haar lauw geworden koffie.

Er heerste een vijandige en onaangename stemming aan tafel en afgezien van Sylvia hielden ze het al snel voor gezien.

Een kwartier later zag Sylvia de drie vriendinnen naar de parkeerplaats lopen, ze gingen kennelijk zonder haar weg. Nou, ze deden hun best maa, dacht ze nijdig. Haar dag was toch al verpest. Ze had bijna niet geslapen door het natuurgeweld en de onverwachte donderklappen hadden haar beangstigd. Waarom had ze dat nu niet gewoon verteld, ze hadden er echt wel begrip voor opgebracht. Nu had ze die arme Emmy tot in haar ziel gekwetst. Ze had er dik spijt van maar daar schoot ze nu niets mee op. Ze had ook geen idee hoe ze het goed kon maken.

Vervuld van een diep zelfmedelijden ging ze naar haar kamer en ging voor het raam zitten met haar kin in haar handen gesteund. Wat moest ze met deze dag aanvangen, ze wist het echt niet. Ze had geen vervoer en het centrum van Oudeschild lag toch wel een aardig stuk weg.

In de auto zat Emmy stil voor zich uit te staren.

'Wat scheelt eraan, Em, nog uit je doen door die stomme opmerking van Sylvia?'

'Ach nee, het was een rotopmerking en die vergeet ik niet snel maar...'

'Wat maar… Het is onvergeeflijk wat ze heeft gezegd en daar zal ze nu de wrange vruchten van plukken, jammer dan!' zei Kate met stemverheffing.

'Ik weet het, je hebt heus wel gelijk, maar ik weet hoe bang ze is voor onweer, ze zal geen oog dicht hebben gedaan.'

'Dan had ze dat kunnen zeggen,' mengde Bettie zich erin, 'er is altijd wel een excuus te bedenken, maar daar komt ze deze keer niet mee weg.'

'Ik had ook geen goedemorgen schoonheid moeten zeggen toen ik haar chagrijnige snuitwerk zag, het is ook een beetje mijn schuld.'

Bettie remde opeens hard en draaide de berm in zodat ze ervan schrokken.

'Wat wil je dat ik doe,' zei ze nijdig, 'halen we de verdrukte onschuld op, afgezien van het feit dat ze het met een beledigd gezicht weigert en ons voor schut zet, of rijden we gewoon door.'

Emmy gierde plotseling van het lachen: 'Wat een mop, onze Bettie is boos, dat ik dat deze vakantie nog mag meemaken!'

De andere twee lachten toen maar mee, ze zagen uiteindelijk de humor er wel van in, het was ook een zotte en kinderachtige situatie.

Bettie zette de auto voorzichtig in zijn achteruit en keek of ze de weg weer op kon. In een heel wat betere stemming reden ze weer terug naar het hotel waar ze voor de deur een verkleumde en boetvaardige Sylvia aantroffen.

Emmy stapte uit en onmiddellijk sloeg Sylvia haar armen om haar heen.

'Sorry, Em, het was een rotopmerking die je niet verdiende,' snufte ze in haar nek. 'Waar kan ik het goed mee maken, zeg het maar!'

'Door in te stappen en er samen met ons een gezellige dag van te maken.' Emmy maakte de armen om haar hals los en schoof haar richting auto.

'Kom zitten, brulboei,' noodde Kate, 'we willen koffie met gebak!'

De storm in het befaamde glas water was gaan liggen en al ging het in het begin nog wat moeizaam, eer ze aan de koffie zaten was de stemming weer als vanouds.

Deze keer reden ze de andere kant van het eiland, via Den Hoorn naar De Koog. Vanaf Cocksdorp hadden ze gisteren al een stukje van die kant meegenomen en waren bij Zuid-Eierland weer de weg opgegaan richting Oudeschild.

Onderweg stopten ze een aantal keren om door de oude dorpjes te slenteren en op een bankje bij een kerkje te gaan zitten. Er heerste een aangename rust waar zelfs Sylvia van genoot. In De Koog brachten ze een paar uurtjes door en gebruikten daar ook een warme lunch. Na een wandeling langs de zee en door de duinen waren ze zo moe, dat besloten werd naar het hotel terug te keren en daar een flinke time-out te nemen, in termen van Emmy.

Sylvia schopte haar schoenen uit en liet het bad vollopen. Ze was toe aan een uitgebreid stukje verwennerij. Badolie, en van hetzelfde merk de bodylotion en voetencrème. Ze genoot met volle teugen en wilde even niet terugdenken aan de verkeerde start die ochtend.

Kate had zich gezellig in de grote kamer van Bettie en Emmy geïnstalleerd en lag met haar benen op een krukje.

'Een wijntje, Kate?' vroeg Emmy vanuit de deuropening van de badkamer.

'Heb jij wijn, waar haal je die nou vandaan?'

'Wat zou je zeggen van een Gall & Gall in De Koog toen jullie in die schoenenzaak rondsnuffelde.'

'Je bent een kei, Em, verrukkelijk.' Ze pakte het glas aan en ook dat van Bettie die haar voeten even had afgespoeld. 'Heerlijk even koud water over die arme pootjes laten lopen, ze voelen gelijk een stuk minder vermoeid aan.'

'Ja, dat doe ik straks wel,' zei Kate lui, 'ik geniet nu even van dit onverwachte feestje. En kijk, ook nog toastjes met brie en notenkaas. Em, Em, je bent je gewicht in goud waard.'

'Daar kom je dan met een koopje vanaf,' grijnsde Emmy.

'Ja, ik zou er beter vanaf komen,' grinnikte Bettie en ging op bed tegen een paar kussens aanzitten. 'Wat sta jij nu te doen, mijn kind?'

'Wat klaarmaken voor onze freule, ik ga het haar even brengen. Ik hoop niet dat haar deur op slot is, en anders stapt ze maar uit haar bad van ezelinnenmelk.'

'Wat is het toch een gouden meid,' zei Kate die haar peinzend nakeek. 'Ik had in haar plaats Sylvia een week niet bekeken.'

'Je hebt gelijk, zoals zij zijn er niet veel, die moet je met een lantaarntje zoeken.'

Emmy klopte op de deur en hoorde een hoop gemompel vanuit de badkamer.

'Ik ben het, Syl, kun je even opendoen?'

Sylvia hees zich snel in haar badjas en deed de deur open.

'Roomservice, my lady!'

'O, Em, je stapelt steeds meer vurige kolen op mijn hoofd, kind, wat een verrassing.' Ze pakte het dienblaadje aan.

'Ga maar gauw terug in je bad voor het afkoelt en geniet ervan.' Sylvia blies haar een haastige kus toe en ging terug naar haar geurige bad dat nu een extra luxe dimensie had gekregen door de verwennerij van Emmy.

'Die is ook weer gelukkig,' meldde Emmy die de kamer weer inkwam, 'ze straalde gewoon. Trouwens, ze rook wel erg lekker, toch eens vragen wat het merk is van dat spul.'

'Niet zo oneerbiedig, Em, spul, hoe durf je!' Bettie trok nuffig haar neus op.

Natuurlijk kreeg Emmy de hele set cadeau van Sylvia toen deze via Bettie hoorde dat Emmy het een heerlijke geur vond. Zonder woorden had ze haar lelijk gedrag daarmee goedgemaakt, hoewel Kate dat een beetje te gemakkelijk vond. Maar Emmy en Bettie waren iets meer vergevingsgezind en daar hielden ze het maar op.

Het weekend vloog om, en voor ze weer de boot opgingen besloten ze de omgeving rond 't Horntje nog te bekijken en lunchten daar ook. Ze zouden om één uur Duke weer ophalen.

De hond vloog op hen toe en na Bettie te hebben begroet wist hij niet goed wie er nu aan de beurt was voor een berenomhelzing. Bettie sprak nog even met de pensionhoudster. De rekening had ze via de bank reeds betaald. Het was allemaal heel goed gegaan. Na een uurtje kniezen had hij in de grote tuin uitbundig gespeeld en zich vermaakt met een paar andere honden.

Enthousiast sprong hij in de auto en draaide zich op zijn eigen vertrouwde plaatsje.

Ziezo, ze waren weer compleet. Met de boot van twee uur vertrokken ze weer richting Den Helder.

Eenmaal in het huis waren ze toch ook weer blij zo met zijn vieren te kunnen zijn. Bettie ging onmiddellijk koffiezetten en Kate haalde de doos met gebak tevoorschijn die ze hadden meegebracht. De andere twee pakten hun bagage uit, en Emmy zette meteen een was aan. Ze had eenvoudig haar rugtas leeg gekiept en in de machine gestopt, ongeacht of het schoon of vuil was.

Sylvia lag op bed en overdacht de afgelopen dagen. Haar koffer stond open maar ze had er verder nog niets mee gedaan.

Kate klopte op de deur: 'Jullie zijn ook een mooi stel zeg! Jij ligt op je bed en Emmy heeft al haar goed in de wasmachine gestopt. Jullie zouden uitpakken en wij voor de koffie zorgen.' Ze schudde lachend haar hoofd en trok Sylvia van het bed af.

'Weet je dat ik twijfel aan het verhaal van die pensionhoudster,' zei Emmy, en ze likte daarbij het laatste restje slagroom van haar lippen. 'Al heeft een dier het nog zo beroerd ondergaan dan zullen ze nog zeggen dat het fantastisch is verlopen. En vooral als je dier je vreugdevol begroet kun je niet merken of ze tijdens hun verblijf het hart uit hun lijf hebben geblaft of gemiauwd.'

'Het pension staat goed bekend bij het hotel, ik heb daar ook het adres van gekregen. En bovendien is het een soort dependance van het asiel op Texel. Nee, ik twijfel niet aan hun bevindingen met de dieren. Er zullen er best zijn die wat langer nodig hebben om te wennen maar dat is logisch, niet ieder dier is hetzelfde, evenmin als mensen. De een heeft heimwee en de ander totaal niet,' weerlegde Bettie de twijfels van Emmy.

'Mm, ik weet het niet hoor.' Emmy keek naar Duke die met zijn kop op de rand van de mand hen met geloken ogen gadesloeg.
'Kon het dier maar praten.'
'Em, houd op met zeuren. Denken de moeders er ook zo over als ze hun kind bij jullie achterlaten? Zij moeten ook maar afwachten hoe jullie met hun kroost omgaan, en ik neem aan dat ze vertrouwen in het dagverblijf hebben.'
'Sorry, Syl, je hebt gelijk,' klonk het berouwvol.
'Wat eten we vanavond?' vroeg Sylvia toen en rekte zich enigszins luidruchtig uit. 'Ik heb wel trek in een gewoon prakkie.'
'Hoe banaal,' grinnikte Kate. 'En naar wat voor prakkie gaat je voorkeur uit? Het is al vrij laat dus het moet niet lang hoeven koken. We gaan dadelijk maar gelijk boodschappen doen.'
'Andijviestamppot, dat moet volgens mij wel te doen zijn. Ik ga wel met je mee en ik zal het ook klaarmaken. Nou, is dat niet lief van mij?'
'Je bent zoet hoor, tenminste...' grijnsde Bettie ondeugend.
Sylvia gooide een propje papier naar haar hoofd en stond op.
Het voorkeureten van Sylvia smaakte prima en ook Duke wist er wel raad mee. Hij had zijn bak tot in de kamer geduwd om het laatste likje niet te missen. Soms kreeg hij een beetje aardappels en groenten met wat jus eroverheen en dat vond hij een feestmaal.
Terwijl Bettie en Emmy de tafel afruimden en voor de koffie zorgden, verdwenen Kate en Sylvia naar hun kamer om de koffers leeg te maken en op te bergen.
Lui lagen ze een halfuur later in hun stoelen en bespraken het afgelopen weekend. Ze waren het erover eens dat het ontspannen en gezellig was geweest. Het ongelukkige incident met Sylvia lieten ze maar achterwege.
Emmy kwam even later met een verrassende mededeling.
'Sylvia, wil jij van de week een keer met mij naar Alkmaar? Ik wil namelijk wat kleding kopen en, blijf stevig in jullie stoel zitten, ik wil eventueel ook mijn haar laten knippen.' Van verbazing wist niemand wat te zeggen, en Sylvia kwam het eerste bij haar

positieven en applaudisseerde enthousiast. 'Helemaal goed, Em, ik ga graag met je mee. Ik verheug me erop om me uit te leven op jouw transformatie.'

'Maar vóór die tijd wil ik jullie mijn verhaal vertellen en daarna pas besluiten of ik die verandering ook echt wel wil. We hebben nog twee weken te gaan en alleen Kate en ik zijn jullie nog een verhaal schuldig.

'Ja,' zuchtte Kate bekommerd, 'ik weet eigenlijk niet of ik er aan mee wil doen. Ik ben lui geworden en ook mijn geest vertoont die verschijnselen.'

'Kom op, Kate, nu niet op het laatste moment terugkrabbelen. Beloofd is beloofd. We willen na de vakantie toch min of meer met een schone lei beginnen en onze levens veranderen wanneer dat nodig blijkt te zijn.' Bettie gaf haar vriendin een vriendelijke por tegen haar arm.

Kate antwoordde niet en keek somber voor zich uit.

'We hebben eigenlijk maar belabberd weinig geschilderd,' gooide ze het over een andere boeg.' Maar hoe dan ook, ik wil nog een paar gezellige weken, en we kijken wel of ik die biecht dan nog zie zitten. Houd er rekening mee dat niet ieder verhaal een positief resultaat krijgt. In sommige gevallen is er zelfs geen weg terug.'

'Kate, er is bijna altijd een weg terug, al lijkt die soms te moeilijk of onbegaanbaar te zijn,' zei Bettie met een bezorgde blik in haar ogen. In zo'n lethargische stemming kende ze Kate niet.

Emmy stond voor het raam en keek uit over de tulpenvelden die er redelijk verpieterd begonnen uit te zien. Het mooie was er snel af, besefte ze mistroostig. In de verte tekende de lucht zich donker af en dat kwam in een redelijk snel tempo hun kant op.

'Ik denk dat ik Duke ga uitlaten want zo te zien is er een behoorlijke bui in aantocht,' zei ze, 'het begint ook aardig te waaien.'

De anderen waren zo in gedachten verzonken geweest dat ze de verandering van het weer niet hadden opgemerkt.

'Ik ga met je mee.' Sylvia hees zich overeind en liep naar de hal om een vest aan te doen. 'We nemen wel een paraplu mee want al is de temperatuur nog lekker, het kan ieder moment losbarsten en dan wordt het ook frisser. Trek ook wat aan, Em, doe niet zo eigenwijs.'

'Ach, joh, ik kan wel tegen een druppie regen, hoor!' maar ze trok toch braaf een fleece trui aan die slordig aan de kapstok hing.

'Er zit een rare punt in je trui, hang toch eens iets behoorlijk op,' mopperde Sylvia goedmoedig.

'Goed, moe, ik zal er om denken, moe!'

'Ach, gekkie, naar buiten jij!'

'Niets voor jou, Syl, om mee de hond uit te laten, zit je iets dwars?' Emmy deed haar rits dicht want het koelde nu heel snel af. De bui was niet ver weg en het zag ernaar uit dat ze niet met droge voeten zouden thuiskomen.

'Ik vond de reactie van Kate een beetje vreemd, vond jij ook niet?' Sylvia probeerde haar passen naar die van Emmy te regelen, wat niet meeviel, want Emmy had zo'n vreemde schommelgang. Duke had al een aantal bomen van zijn geur voorzien en zocht nu een geschikt plekje voor het volgende deel van zijn ritueel.

'Ik denk, Syl, dat Kate en ik misschien iets hebben meegemaakt dat moeilijk is om met een ander te delen. Van mezelf weet ik dat wat ik vertel niet helemaal vreemd bij jullie zal overkomen. Jullie hebben er volgens mij al wel iets van begrepen. Maar van Kate kun je dat niet zeggen. Zij is echt een gesloten boek waar niemand inzicht in heeft. Het zal me niet verbazen als ze het ook echt voor zich houdt.'

'Toch hoop ik dat ook zij zich zal uitspreken. Weet je, Em, deze weken hebben mij echt goed gedaan, ondanks dat ik me af en toe drakerig gedraag. Ik ben van mijn 'lang leve de lol'-standpunt afgestapt en ik heb me voorgenomen me wat meer bezig te houden met zaken die er toe doen. Niet dat ik gelijk een degelijke trut word want dat zit gewoon niet in me. Onze vriendschap is me in korte tijd heel dierbaar geworden, en ik hoop dat als we eenmaal thuis zijn het contact zoals het nu is gehandhaafd blijft.

We moeten er met zijn vieren voor zorgen dat het niet verzandt.'
Emmy stak haar arm door die van Sylvia en drukte die stevig.
'Raar eigenlijk hè, Em, wij hebben de minste overeenkomsten en
toch trekken we naar elkaar.
Tja, tegenpolen, het klopt, zo zie je maar weer!'
'Kom, we moeten terug, Syl, het ziet er nu toch echt dreigend
uit.'
Ze had het nog niet gezegd of de eerste druppels vielen al. Duke
vond het prachtig en hapte naar de grote druppels die op zijn
snuit vielen.
'Ik hoop maar dat ze gauw terugkomen.' Bettie keek bedenkelijk
naar de lucht. 'Niets voor Syl om zich buiten te wagen als het
gaat regenen.'
Meteen nadat ze het had gezegd barstte de bui los.
Kate mompelde wat, ze begreep best dat haar eventuele weige-
ring om te praten verbazing had opgewekt bij Sylvia.
Bettie stond vlug op toen ze de voordeur open hoorde gaan. Twee
verzopen katjes kwamen giechelend naar binnen. Sylvia gooide
haar doorgeslagen paraplu in de berging. 'Daar heb ik weinig aan
gehad, het waait veel te hard.'
'Daarom heb ik er geen meegenomen,' grinnikte Emmy en schudde haar natte haren.
'Ga weg, viespeuk, ik ben al nat genoeg,' Sylvia gaf Emmy een
forse duw de andere kant op. Meteen rolde de donder over het
huis en weerlichtte het.
'Nou ja, jullie zijn in ieder geval binnen.'
Bettie droogde de hond af en nam hem mee naar de bijkeuken
waar ze hem wat brokjes gaf. Maar Duke had weinig zin om daar
eenzaam op een kleed te gaan liggen en wandelde braaf achter
Bettie de kamer in waar hij Kate spontaan een natte poot op haar
schoot legde. Hij drukte ten overvloede ook nog eens zijn natte
kop tegen haar aan.
'Jasses, vieze kledder, waar heb ik deze liefkozingen aan te danken?' Totaal niet geïntimideerd door haar luide stem bleef hij
gewoon tegen haar aanleunen.

'Bettie…' kreet Kate, 'doe wat aan dat beest, hij weigert bij me vandaan te gaan.'

De andere drie lagen dubbel van het lachen. Kate was al niet zo gesteld op de liefkozingen van Duke en in deze situatie al helemaal niet. 'Niet zo kinderachtig, Kate, Duke vindt dat je wat extra aandacht hebt verdiend. Haal dat beest even aan, dan laat hij je wel met rust.'

Emmy had er duidelijk plezier in de ontastbare Kate zo misprijzend te zien kijken. Duke vond eindelijk dat zijn spelletje lang genoeg had geduurd. Kwispelend en met een grote grijns op zijn bek kroop hij in de mand en liet zijn blik over alle vier gaan. Kennelijk wilde hij daarmee aangeven dat er rekening met hem gehouden moest worden. Weer een avond met oeverloos geklets en geen aandacht voor hondengenoegens begon hem te vervelen. Ze zouden ook eens met hem kunnen stoeien, een bal gooien of een potje touwtrekken. Uiteindelijk was hij het weekend weggeweest en hij vond dat hij nu recht had op hun volledige aandacht. Emmy begreep de hint en een kwartier was de herrie die ze maakten oorverdovend.

Kate was het zat, ging naar de badkamer en liet het bad vollopen. Met de koffie was de rust weergekeerd en na nog een uurtje gezellig wat kletsen gingen ze naar hun kamer.

De rest van de week werd er wat geschilderd, en gingen ze een dag toeristje spelen door naar Volendam en Marken te gaan. Daarna reden ze via Wijdenes verder langs het water richting Hoorn en Enkhuizen. Toerist of niet, ze hadden een heel gezellige dag en hadden menig terrasje aangedaan. Ze wilden nog naar kasteel Radboud in Medemblik maar dat werd een beetje te veel op één dag, ze besloten het de week erop te gaan bezichtigen. Ze kwamen die avond moe maar voldaan weer in het huis en praatten tevreden nog wat na.

'Je kunt zeggen wat je wilt maar Nederland heeft toch aardig wat aantrekkelijke plaatsjes,' zei Bettie. 'Was jij er al eerder geweest?' vroeg ze toen aan Sylvia.

'Ja, in het verre verleden maar daar is me weinig van bijgebleven moet ik zeggen. Ik vond het erg leuk. Water trekt me ook meer dan bossen of velden zoals hier. Het lijkt me trouwens leuk om ieder jaar een week of zo met elkaar een huisje te huren. Nu had het een speciaal doel, maar zo lang en heftig hoeft het niet iedere keer te zijn. We kunnen ook steeds een andere locatie kiezen, wat vinden jullie ervan?'

Ze waren er alle drie enthousiast vóór en vonden het een verrassend initiatief van Sylvia.

HOOFDSTUK 5

Het kwam pas vrijdag tot een gesprek. Het was een paar dagen erg druilerig geweest en vandaag scheen de zon en was het in de tuin goed te doen. Ze hielden een rustdag want ze waren er veel op uit geweest de afgelopen week.

Na de lunch installeerden ze zich in een luie stoel in de tuin onder het genot van een Irisch coffee die Sylvia had klaargemaakt. 'Nou, Em, barst maar los.' Ze likte de slagroom van haar bovenlip en keek even opzij.

'Niet zo haastig hoor, Syl, het is geen verhaaltje voor het slapengaan,' klonk het wat bits.

'Nee, dat begrijpen we ook wel,' suste Bettie, 'neem je tijd, lieve schat.'

Ja, leuk, dacht Emmy, waar moet ik in hemelsnaam beginnen. Het is zo'n bizar gegeven nu we ontspannen in de zon zitten. Ze voelde ineens met Kate mee die er ook niet veel zin meer in had om haar ziel bloot te leggen.

'De eerste week van de vakantie hebben we het zijdelings over jouw gebrek aan vrouwelijk vertoon gehad,' probeerde Sylvia enigszins onhandig een opening te maken. 'Ik gaf je toen dat nachtshirt met de foto van Duke erop weet je nog?'

'Ja, dat weet ik heus nog wel, Syl, maar ik voel me geremd en ik weet niet waarom. Stel wat vragen dan lukt het misschien,' zuchtte ze wat verdrietig.

'Begin dan met iets over je ouders te vertellen,' raadde Kate haar aan. 'We weten dat je broer bij je tante woont en dat jij met je nichtje de flat huurt. Heeft je tante jullie opgevoed?'

'Nee,' klonk het kort. 'Ik heb tot mijn vijftiende samen met Freddie bij mijn moeder gewoond. Mijn vader heb ik nooit gekend. Ik weet ook heel weinig over hem. Hij is voor mijn geboorte vertrokken. Freddie is niet van hem en daar begint mijn story. Mijn tante vertelde dat mijn moeder op zijn Hollands gezegd een mannengek was. Dat was ze als jong meisje al. Toen ze nog met mijn vader was flirtte ze met iedereen die er gevoelig voor was. Toen hij er ruzie over maakte lachte ze hem vierkant uit. Ze suggereerde ook dat ik niet van hem was. Dat bleek uiteindelijk niet waar te zijn maar hij is na die opmerking weggegaan, hij had al lang genoeg van haar en haar gedrag.'

'Hoe weet je dat hij wel je biologische vader is?' vroeg Kate kortaf.

'Mijn tante probeerde mijn moeder tot ander gedrag te bewegen en op een keer hadden ze een eerlijk en goed gesprek gehad. Ze gaf toen toe dat ze mijn vader onheus had behandeld en dat ze spijt had van haar beweringen. Het ging een poosje goed en toen verviel ze weer in haar oude gedrag en was er geen sprake meer van vertrouwelijkheden tussen de zussen. Ik lijk op mijn vader, dat kon mijn tante met zekerheid zeggen. Ik heb zijn kleur ogen en haren. Ook ziet ze karaktertrekken van hem in mij terug. Ze mocht hem erg graag en ze vond het ellendig dat hij weggegaan was. Ze heeft nooit meer iets van hem gehoord. Mijn moeder begon weer uit te gaan toen ik ongeveer vier jaar oud was. Ik was dan bij mijn tante en had daar graag voorgoed willen blijven, maar dat wilde mijn moeder niet want ik was een veel te handig hulpje voor haar.

Toen mijn moeder zwanger was van Freddie leek er weer even rust in de tent te zijn gekomen. Haar vriend woonde bij ons maar daarmee is wel de ellende voor mij begonnen. Ik was inmiddels acht jaar toen Freddie werd geboren. Mijn moeder was na zijn geboorte een tijd niet in orde, een postnatale depressie of zoiets. Je begrijpt het natuurlijk al, die vriend zocht me op in mijn slaapkamer. Eerst nog gewoon voor een babbeltje waar ik in mijn onschuld geen kwaad in zag. Later begon hij me te strelen op nog aanvaardbare plekken en tja, daarna op andere plaatsen. Hij betastte me overal, zei dat ik zo'n lief kind was en dat hij veel van mij hield. Je wilt vast wel lief voor me zijn nu mama even niet in orde is.'

Het bleef even stil en Emmy slikte moeizaam. Sylvia schonk wat te drinken in en zette dat op het tafeltje. Niemand zei iets en liet haar met rust. Troost kwam later wel.

'Hij was niet eens gemeen of zo. Hij bleef heel teder voor me en zorgde ervoor dat hij niet te ver ging. Latere vrienden van mijn moeder hadden er minder problemen mee. Maar goed, ik was bang en toch trok het me op de een of andere manier. Ik begon te ontwikkelen en kennelijk ook mijn hormonen. Ik voelde me vies en ook schuldig omdat ik er gevoelens bij kreeg. Hij merkte dat natuurlijk en zijn bezoekjes werden veelvuldiger. Ik raakte helemaal in de war, ook doordat ik gevoelens in mezelf begon te ontdekken. Nou ja, het heeft een jaar geduurd eer hij opkraste. Mijn moeder hervatte haar oude leventje en de ene vriend kwam en de ander ging. Soms heel snel, soms duurde het langer. Ik werd een schuw musje waar weinig aardigheid aan te beleven viel. Mijn tante zag ik niet veel meer want ik durfde haar niet onder ogen te komen. Ik speelde buiten en bleef die kerels zoveel mogelijk uit de weg, ook al omdat de sleutel van mijn kamer ineens was verdwenen. Je begrijpt natuurlijk wel dat het niet bij die ene vent bleef, en bovendien waren ze niet allemaal zo zachtzinnig als die eerste…'

Ze stokte haar relaas en de tranen stroomden over haar gezicht dat ze wanhopig in haar handen verborg. Ook de anderen waren geëmotioneerd.

Bettie trok haar stoel naast die van Emmy en nam haar in haar armen. Toen ze even later wat gekalmeerd was ging ze weer rechtop zitten en staarde zonder iets te zien voor zich uit. Bettie bleef dicht naast haar zitten maar hield haar niet meer omvat.

'Hoe komt het dat de zussen zo verschillend waren?' vroeg ze zacht.

'Mijn moeder is op veertienjarige leeftijd verkracht door een buurman. Dat heb ik van mijn tante gehoord die ik alles heb verteld toen ik de grip op mezelf dreigde kwijt te raken. Ik ben toen bij mijn nichtje ingetrokken en mijn tante zorgde ervoor dat mijn moeder niet meer in mijn buurt kon komen. Freddie was inmiddels ook bij haar vandaan, want hij liep die vrienden van mijn moeder maar in de weg. Gelukkig ben ik in die jaren alleen maar betast en niet verkracht, al scheelde het vaak maar weinig.'

'Had je moeder dan nooit iets in de gaten?' vroeg Sylvia ongelovig.

'Jawel, soms kwam mijn moeder ineens mijn kamer binnen en overzag de situatie. Ze donderde die vriend uit haar huis en schold mij uit voor slet en nog meer van dat fraais. Natuurlijk geloofde ze niet dat ik er niets aan kon doen. Na die eerste keer liep het af en toe uit op gewelddadigheid. Na de laatste aftuiging ben ik het huis uit gevlucht. Zestien was ik. Het is geen nieuw verhaal, je hoort er bijna dagelijks over. En zoals je weet kan het nog veel erger, ook die ellende komt geregeld in het nieuws, zeker de laatste jaren.'

'Laat dat rusten lieverd, je eigen tragedie is al beroerd genoeg.' Bettie streek haar over het hoofd. 'Ik ga een sterke pot koffie zetten en als je wilt kun je daarna verder je hart luchten.'

'Laat mij maar,' zei Kate. Ze stond op en liep weg, nagekeken door Sylvia en Bettie.

'Je hebt een hekel aan je eigen lichaam, hè? Ik heb dat tenminste begrepen uit je reactie toen,' bracht Sylvia het gesprek weer op gang.

'Ja, inderdaad, ik kijk er nooit naar en raak het zo min mogelijk aan. En verder wilde ik hoe dan ook voorkomen dat mannen mij aantrekkelijk zouden vinden.'

'Vandaar je voorkeur voor homovriendjes,' zei Kate die met vier mokken koffie terugkwam, op onaardige toon.'

'Bingo,' reageerde Emmy scherp. 'Ik ontmoette Fabio toen hij in de flat kwam wonen waar ik met mijn nichtje woon. Hij kwam een burenbezoek afleggen en we mochten elkaar direct. Ik zag in hem geen enkele bedreiging. Hij heeft me aan het praten gekregen en ik heb ontzettend veel steun aan hem gehad. Hij leerde me relativeren en afstand nemen van het verleden. Hij had ook verschrikkelijke dingen meegemaakt. Op een gegeven moment kon ik in ieder geval weer een vrij normaal leven lijden. Ik vond een baan bij een kinderdagverblijf en daar was ik in mijn element. Wel moest ik een opleiding volgen maar dat was geen probleem.'

'Heeft je tante nooit iets aan jou gemerkt, Em?' vroeg Sylvia.

'Zoals ik al vertelde bleef ik haar zoveel mogelijk uit de weg. Op een gegeven moment is ze naar me op zoek gegaan en vond me in een schuurtje bij een speeltuin. Dat was nadat ik van huis was weggelopen. Buren hebben mijn tante gebeld want die hadden allang in de gaten dat er rare dingen gebeurden bij ons thuis. Mijn tante heeft me mee naar huis genomen, en toen ik wat tot rust was gekomen heeft ze het hele verhaal uit me weten te krijgen. Ik zal je de details besparen hoe ze Freddie en mij onder haar hoede kreeg want anders zit ik hier morgen nog. Ik vertel de dingen misschien wat chaotisch in jullie ogen maar zo komt het bij me naar boven.'

'Leeft je moeder nog?' vroeg Sylvia weer.

'Nee, na ons vertrek is ze aan de drugs geraakt en later aan een overdosis gestorven.'

'Wel, we hebben elkaar met recht gevonden, nietwaar! Wees maar blij Sylvia dat we niet in *Villa Felderhof* zitten, de kijkcijfers zouden meteen dramatisch kelderen,' zei Kate sarcastisch.

De anderen keken haar onaangenaam getroffen aan. Waarom deed Kate zo vreemd? Al een paar dagen maakte ze de ene cynische opmerking na de andere. Ze zat duidelijk met zichzelf in de knoop. Ze vroegen zich nu ook af of het verhaal van Emmy aan haar eigen verleden relateerde.

'Heb je nooit wat voor een man gevoeld, Em, ondanks je ellendige ervaringen?'

'Nee, Syl, ik stond het mezelf niet toe. Ik had niet alleen een afkeer van mijn eigen lijf maar uiteraard ook van dat van hen. De afgedwongen acties vervullen me nog steeds met walging.'

'Allemachtig, wat een ellendige jeugd heb jij gehad. Heb je de ouders van je moeder gekend?' vroeg Bettie zichtbaar aangedaan.

'Nee. Van mijn tante hoorde ik dat ze zich al heel snel van hun tweede dochter distantieerden. Ze verhuisden naar het noorden en alleen mijn tante had nog enig contact met hen. Zij is als een moeder voor Freddie en mij geweest, en nog waakt ze over ons. Als ik haar een dag niet heb gebeld is ze meteen ongerust, want ze begrijpt heel goed dat het verleden altijd een rol blijft spelen.

Maar ook mijn nichtje is heel alert als het om mij gaat, het is echt een lieve meid. En bovendien heb ik Fabio, mijn tante is dol op hem.'

'Het is allemaal verschrikkelijk, lieverd, toch hoop ik dat je na deze vakantie je vrijer zal voelen, zowel in je gedrag als in het omgaan met je lichaam.' Moederlijk boog Bettie zich over het meisje heen, wat ze voor haar gevoel nog steeds was.

'Ik hoop het, Bettie, ik ben heel blij dat ik jullie heb en ik mijn hart heb kunnen luchten.'

'Ik hoop dat je inderdaad de uitdaging aandurft door je anders te gaan kleden en je haar te laten doen,' zei Sylvia. Ik heb al eens gezegd dat je op een speciale manier aantrekkelijk eruit kan zien. Je hebt een fijne botstructuur, je hebt mooie ogen en je zult zien dat je vrienden wordt met jezelf als je jezelf maar de kans geeft. Ik haast je niet en wacht af wanneer je zover bent. Is het niet binnen deze vakantie, dan ben ik je graag na die tijd behulpzaam.'

'Dank je, Syl. Ik beloof je erover na te denken of ik het inderdaad aandurf. Maar voorlopig toch maar niet ben ik bang, het lef dat ik dacht te hebben moet kennelijk nog groeien.'

'Wel,' Kate rekte zich uit, 'dan is het na deze droevige uren tijd voor een hartversterking. Nee, blijf vooral zitten, ik wil graag even uit deze tranentrekkende sfeer.'

'Verdomme, wat mankeert die bitch, ze gedraagt zich echt onuitstaanbaar. En dat is al een paar dagen zo.' Sylvia was terecht kwaad.

'Ik weet het ook niet,' zei Bettie verdrietig. 'Er zit haar duidelijk iets dwars en ik hoop maar dat ook zij zich uitspreekt.'

'Nou, reken daar maar niet op, ze heeft zich achter een betonnen muur verschanst en zie haar daar maar eens achter vandaan te krijgen,' zei Sylvia gemelijk. 'Maar laten we proberen nog wat van deze dag te maken, al blijft het trieste verhaal van Emmy ons door het hoofd spelen.'

Emmy zei niets en zat als een verloren hoopje mens ineengedoken in haar stoel. Heel zachtjes was Duke naderbij gekomen, hij legde zijn kop in haar schoot en gaf likjes over haar handen. Toen brak er iets in Emmy. Onbeheerst snikkend sloeg ze haar armen om de hals van de hond die rustig tegen haar aan bleef zitten.

Bettie en Sylvia hadden tranen in hun ogen en keken toen naar Kate die een dienblad op tafel zette. Afgezien van de wijn waren er ook schaaltjes met allerlei hartigheden.

'Lekker, Kate, daar heb ik wel trek in,' probeerde Bettie de stemming wat op te fleuren. 'Heeft iemand al enig idee wat we moeten eten vanavond?' vroeg ze in het algemeen.

Emmy stond op en liep met de hond in haar kielzog naar haar kamer waar ze samen met Duke verder haar verdriet uithuilde.

'Wel, dat hebben we ook weer gehad,' zei Kate, en nam een flinke slok wijn. 'Jullie kunnen mij wel hard vinden maar ik word niet goed van dat soort slachtofferverhalen. Biedt dan niemand ooit tegenstand bij dat soort dingen? Ze had toch veel eerder bij die tante aan de bel kunnen trekken. Je maakt mij niet wijs dat dat mens nooit iets heeft gemerkt. Die moeder was gewoon een slet, daar is geen ander woord voor, alhoewel... En verder is kennelijk niemand ooit op het idee gekomen de kinderbescherming, of weet ik veel wat voor instantie erbij te halen.'

'Nou zeg, dat heeft ook niet altijd de beste resultaten zoals we langzamerhand wel weten via de media. Hoeveel is er niet faliekant verkeerd gegaan terwijl de desbetreffende instantie op de achtergrond meekeek. Nee, daar heb ik beslist geen hoge pet van op,' verklaarde Sylvia op besliste toon. 'Maar je stelde je inderdaad hard op. En op zich is dat misschien jouw manier van reageren, maar het was in mijn ogen heel liefdeloos. We leven met elkaar mee en proberen te helpen, dat was toch de opzet van dit alles, of heb ik het misschien verkeerd begrepen? Dus jouw houding schoot bij ons in het verkeerde keelgat. Je zal er ongetwijfeld een reden voor hebben, Kate, laten we het daar maar op houden.'

'Wat ben jij ineens assertief zeg, dat ben ik niet van je gewend.'

'Wat eten we vanavond?' probeerde Bettie opnieuw het tij te keren.

Sylvia schoot in de lach bij het wanhopige gezicht van Bettie. Kate voelde wel aan dat ze op moest houden de sfeer te verpesten en grijnsde opeens ontwapenend.

'Chinees, pizza, patat, prakkie, restjes, je zegt het maar,' somde ze op. 'Ik haal en betaal, oké?' Ze schonk nog eens in en liep toen met haar glas de tuin uit.

'Wat een enfant terrible zeg, wedden dat ze nu op bed bij Emmy zit en haar troost op een manier zoals wij het niet eens kunnen?'

'Daar kun je wel eens gelijk in hebben, Syl,' zuchtte Bettie vermoeid. Ze had er een hekel aan als de sfeer zo vijandig werd.

Emmy lag voorover op bed met Duke naast haar. Ze was doodmoe van alle emotie en wilde eigenlijk alleen nog maar slapen. Kate ging op de rand van het bed zitten waardoor Duke verstoord zijn kop ophief.

'Em, ga eens rechtop zitten.' Ze trok het meisje overeind en drukte een aantal kussens in haar rug. 'Denk niet dat ik niet met je meeleef, dat doe ik beslist wel. Maar wat me tegenstaat is de slachtofferrol die je speelt. Ik weet dat je denkt dat ik makkelijk heb praten omdat ik het niet zelf heb meegemaakt maar dat is absoluut niet zo! Sylvia heeft gelijk weet je, je hebt iets bijzonders zonder dat je precies kunt zeggen wat dat is. Je hoeft je persoonlijkheid en je kwaliteiten niet te verbergen. Kom uit je cocon en doe wat met je leven. Jij bent niet je moeder, dat wil zeggen dat jij niet dat soort verderfelijke individuen aantrekt. Je zult op een dag merken dat er ook mannen zijn die respect hebben voor een vrouw en haar in haar waarde laten. Maar je moet jezelf die kans wel geven. Je bent te veel vertroeteld door je tante die je voor al het kwaad van de wereld wilde beschermen. Heel lief en begrijpelijk maar niet zo heel erg wijs. Ze had met je moeten praten over je moeder en ook over jezelf. Ze had je moeten leren je een plaats in de wereld te veroveren met zelfrespect en kracht.' Ze trok plagerig aan de paardenstaart: 'Prettig idee dat je binnenkort paard af bent. Kom, we gaan de anderen laten weten dat we elkaar niet in de haren zijn gevlogen. Bovendien blijft Bettie als een repeteerwekker vragen wat we willen eten. Begrijp je trouwens een beetje waarom ik anders reageerde dan die andere twee? Ik wilde niet meehuilen met de wolven in het bos maar je kwaad maken, zodat je jezelf bij elkaar raapte en je trots tegen me verzette. Die watjes in de tuin hebben mijn plan getorpedeerd en daar werd ik pissig over.'

Ze schoten allebei in de lach en dat was voor Duke het sein om zijn eigen leven weer op te pakken. Hij sprong van het bed en rende de tuin in waar de anderen hem verbaasd aanstaarden. Met een diepe zucht plofte hij in het gras en verstopte zijn kop tussen zijn poten.

Even later kwamen Emmy en Kate in goede harmonie de tuin inwandelen tot grote geruststelling van de andere twee.

'Voor je weer gaat vragen wat we willen eten even een huishoudelijke mededeling: ik maak het klaar en ik kijk eerst wat er nog over is van gisteren. Daarna ga ik vlug naar de super en flans de restjes in elkaar. Dus helaas geen junkfood vandaag. Ik ga alleen. Blijven jullie maar lekker kwebbelen.' Ze verdween naar de keuken. Er was nog soep over van de vorige dag en meer dan genoeg voor nu. Ze zou een eenvoudige bami- en nasischotel klaarmaken. Eten halen bij de Chinees, terwijl iedereen wat anders wilde, draaide er meestal op uit dat ze het nog twee dagen aten.

'Alles goed met je, Em?' vroeg Bettie bezorgd toen Kate weg was.

'Gaat wel, en als jullie het niet erg vinden ga ik even op mijn bed liggen tot Kate het eten klaar heeft. Ik voel nu toch wel dat het gesprek veel van me heeft gevergd, ik ben doodmoe.'

'Natuurlijk, kind, ik kan me goed voorstellen dat al die emotie slopend heeft gewerkt. Maar als er wat is kom je hierheen of je roept om een van ons, oké?'

Duke hief zijn kop en keek of zijn hulp nodig was, en besloot toen maar te blijven waar hij was.

De bami en nasi die Kate had bereid ging tot de laatste kruimel op en voldaan schoven ze hun stoel achteruit.

'Syl en ik ruimen de boel op, Kate, en zorgen voor de koffie.'

'Ik ga met Duke uit, Bettie, ik heb behoefte er even uit te zijn.'

Duke, die zijn naam hoorde, sprong verheugd tegen Emmy op. Kate nam haar glas wijn mee naar de tuin en ging languit op een zonnebed liggen. Ze had een vest aangetrokken want het was wat fris geworden, en legde haar armen achter haar hoofd. Het was een heavy middag geweest en het had haar toch wel wat uit haar evenwicht gebracht. Ze begreep ook heel goed dat ze niet achter kon blijven met haar story. Vreemd eigenlijk dat ze alle vier zoveel hadden meegemaakt, al kwam volgens haar Sylvia er het beste af. Toch scheen ze nog steeds veel hinder te ondervinden van dat onbegrijpelijke, eenzame gevoel. Het zat diep in haar en ze maskeerde dat gevoel door haar drukke en vaak extravagante gedrag. Wat zat een mens toch gecompliceerd in elkaar. Zijzelf maskeerde haar gevoel door zich afstandelijk en koel op te stellen naar de buitenwereld. Ze was geen haar beter dan Sylvia, besefte ze in alle eerlijkheid.

Ze maakten het die avond niet laat. Emmy en Sylvia lagen om tien uur al in bed terwijl Kate nog eerst een bad wilde nemen. Voor ze de badkamer inging kwam ze nog even bij Bettie in de kamer.

'Bettie, wanneer denk je zover te zijn dat je een bad durft te nemen en de confrontatie met je geschonden lichaam aan te gaan? Het is een vreemd iets dat bij jou zowel als bij Emmy er een taboe op rust, zij het om totaal verschillende redenen.'

'Ik denk dat de reden ervan niet zoveel verschilt als dat jij denkt,' weerlegde Bettie. 'Ook Emmy voelt dat haar lichaam is geschonden, oké, met wel een andere indicatie. Alleen, als zij eroverheen komt ziet ze een mooi en gaaf lijf, bij mij verandert er niets.' Ze zat haar nagels te vijlen en keek niet op. De springplank was nog steeds erg hoog en eraf springen vereiste veel moed en zover was ze nog niet.

'Goed, Bettie, ik hoop toch dat we het hier nog meemaken.' Na die woorden liep Kate de badkamer in, gooide haar badjas op een stoel en liet het bad vollopen.

Emmy en Sylvia konden niet echt veel rust vinden en deden het lampje naast hun bed weer aan.

'We kunnen beter nog wat praten, Em, want eigenlijk is het nog te vroeg om al te gaan slapen. Weet je, ik schaam me eigenlijk voor mijn eigen probleem, het is zoveel simpeler dan dat van jullie. Ik begrijp niet dat ik er zo'n hinder van blijf ondervinden. Het zal wel een karaktertrek van mij zijn dat ik wil dat alles verloopt zoals ik dat voor ogen heb.'

'Ik denk het niet, Syl, zo eenvoudig ligt het volgens mij niet. De oorzaak ligt veel dieper. Ik heb er veel over nagedacht moet je weten. Als ik de belangrijke punten op een rijtje zet kom ik tot een heel andere conclusie. Het gedrag van je moeder, het ontvallen van je vader die een belangrijke factor was in je leven. Het oppervlakkige gedrag van Frits. Je hield heel veel van je vader, en die liet je in de steek door vroegtijdig dood te gaan terwijl je hem zo hard nodig had. Aan je moeder had je niets, op een bepaalde manier liet ze jou ook in de steek zoals Kate al zei. Je hebt geprobeerd die affectie die je voor je vader voelde op Frits over te brengen, maar die begreep er niets van en liet je gevoelsmatig ook in de steek. Ik denk dat je lijdt aan een bepaalde vorm van verlatingsangst. Je maskeert dat door je uitbundig te kleden en te gedragen. Zo van; hallo, ik ben hier, zien jullie mij dan niet? En helaas voor jou vond je bij je kinderen ook niet dat wat je zo nodig had. Dat is achteraf maar goed ook, anders was je een moeder geweest die haar kinderen claimde. En dat was voor hun eigen ontwikkeling funest geweest. Nu houden ze van je en zoeken je geregeld op in vrijheid en blijheid. Is er echt niet met Frits over te praten? Hij wordt toch ook ouder en heeft misschien juist nu een maatje nodig waar hij op terug kan vallen. Als jij hem duidelijk kunt maken dat je hem nodig hebt en er ook voor hem wilt zijn, krijgt het misschien een kans.'

'Als het inderdaad zo is, en ik geloof dat je op het goede spoor zit, begrijp ik mezelf ineens wat beter. Die verlatingsangst, of wat het ook is, roept bij bepaalde situaties een paniekgevoel op en dan wil ik het liefst vluchten. Zelfs al is het midden in de nacht. Ik neem dan een diazepam in om het te onderdrukken, maar dat werkt soms erg traag. Ik krijg hartkloppingen en een onwezenlijk vreemd gevoel in mijn hoofd alsof een ander mijn gedachten bestuurt, heel eng. Natuurlijk heb ik dat niet dagelijks, zelfs niet wekelijks, maar als het er is is dat meestal in mijn hormonale

periode.' Sylvia drukte haar vingers tegen haar slapen en masseerde die. 'Ik voel me ook niet prettig bij dit gesprek.'
'Gewoon blijven praten, Syl, dat is de enige oplossing. Doordat al die gevoelens zich hebben opgehoopt is er weinig voor nodig om dat paniekgevoel weer te krijgen. Als je erover nadenkt kom je er achter dat het om associatiegevoelens gaat. Er wordt ergens in je geest een trigger overgehaald en boem, je zit er middenin zonder dat je op dat moment weet wat de aanleiding ertoe is. Ik denk dat je je daar wat meer mee bezig moet houden. Wat bijvoorbeeld was er gebeurd toen zo'n aanval zich aandiende. Had je weer een teleurstellend gevoel bij Frits of miste je onbewust je vader weer heel erg... Het kunnen allemaal gedachten zijn die op een bepaalde manier voor kortsluiting zorgen in je hoofd.'
'Hoe kom jij zo wijs, Em?' zuchtte Sylvia lichtelijk ontdaan. 'Ik denk zeker dat je gelijk hebt, maar waarom juist in mijn hormonale periode?'
'Daar kun je zelf het beste een antwoord op geven. Je vertelde hoe je seksleven eruit zag, en daar zit denk ik ook een knelpunt. Ik kan me goed voorstellen dat, als Frits op zijn eigen egoïstische wijze de top van de Himalaya heeft beklommen en dan even later in snurken uitbarst, je je dan duidelijk verlaten voelt. Juist iets wat je samen dient te beleven wordt een Remi-gevoel, ofwel alleen op de wereld.'
'Hemel, je weet je wel uit te drukken,' grinnikte Sylvia ineens, 'de Himalaya beklimmen, dat vergeet ik echt nooit meer! Maar je hebt gelijk. Mag ik je wat vragen, Em?' vroeg ze toen voorzichtig.
Emmy knikte: 'Ga je gang, maar ik vermoed wel wat je vraag zal zijn.'
'Hoe weet jij zoveel af van zaken die je volgens mij nooit hebt meegemaakt? Sorry, het klinkt wel erg denigrerend bedenk ik me nu.'
'Maak je er niet druk om, ik begrijp wel wat je bedoelt. Je vergeet dat ik bij die ellendelingen gevoelens kreeg waar ik uiteraard geen raad mee wist. Je voelt je daardoor ook erg schuldig, en dat maakt

dat je er met niemand over durft te praten. Hoe kan je iemand beschuldigen terwijl je er wel bepaalde gevoelens bij krijgt. Fabio heeft me dat later haarfijn uitgelegd. Hij is socioloog en richt zich speciaal op kinderen en volwassenen die in zo'n situatie zitten of hebben gezeten. Een probleem zoals dat van mij kwam geregeld voor in zijn praktijk. Verder heb ik er veel over gelezen en met praatgroepen gewerkt. Dat was op advies van Fabio, ik heb er veel aan gehad. Ik heb veel aan hem te danken zodat ik toch een redelijk volwaardig mens ben geworden. Het was zoals Kate vanmiddag zei: mijn tante had me harder moeten aanpakken en me niet in mijn slachtofferrol moeten laten sudderen.'

'Gut, die Kate toch! Wij waren al bang dat ze het nog erger zou maken door haar vernietigende commentaar op je los te laten. Gelukkig heeft ze dat niet gedaan en was ze wijzer dan dat wij waren. Had jij dan geen verlatingsgevoel, Em, want als iemand er reden voor had dan was jij dat wel.'

'Natuurlijk heb ik dat gehad, en nog steeds. Alleen, het zit wel in mijn geest maar niet in mijn ziel zoals bij jou. Daarom zei ik ook: het zit bij jou veel dieper. En al zal je er niet precies achter kunnen komen wanneer het bezit van je heeft genomen, je kunt er wellicht beter mee overweg in de toekomst. Maar zaak is dat je met Frits praat, en laat hem ook praten. En nu gaan we wel proberen te slapen. Bedenk, ik slaap licht, dus als je onrustig wordt merk ik dat meteen. Slaapse Syl.'

'Slaap lekker, lieverd, en je beseft niet hoe je me hebt geholpen, je bent een kanjer.'

De kanjer mompelde nog even wat en trok toen het dek half over haar hoofd zoals haar gewoonte was.

De laatste week was er een van vrolijkheid en 's avonds kaarten of andere spelletjes doen. Wel hadden ze de opdracht van Kate gekregen een werkstukje te maken van 13 bij 18 cm. Ze zouden lootjes trekken voor wie ze het moesten maken en wat het bijbehorende thema moest zijn. Natuurlijk trokken ze een aantal keren zichzelf maar eindelijk hadden ze hun opdracht te pakken. Maar voor het zover was beloofde Kate haar eigen levensgeschiedenis te vertellen.

Aan het begin van de laatste week maakten ze nog een leuke tocht. Ze reden via de Afsluitdijk naar Friesland. Sneek was het einddoel en daar wilden ze wat rondkijken en winkelen. Het was een frisse maar zonnige dag en lekker stil op de weg. De sfeer was ontspannen en ze hadden zin in een dagje toeren. Bettie had een flinke picknickmand gevuld die rond het middaguur enthousiast werd aangesproken. Ook voor Duke was er wat lekkers, en lui in het gras liggend bekeek hij het groepje dat vandaag ongewoon luidruchtig was. Toen hij zich ook even liet horen keken ze hem vol verbazing aan.

'Hé, joh,' lachte Emmy, 'bemoei je er niet mee.' Ze stond evenwel op om hem een uitgebreide knuffel te geven.

In Sneek kreeg Emmy een enveloppe met daarin een kaartje waarop stond dat Sylvia, Kate en Bettie het fijn zouden vinden als Emmy op hun kosten iets moois aan kleding wilde uitzoeken. Emmy viel hen spontaan om de hals en zelfs Kate liet het genadig toe. Het resultaat was een moderne outfit in de kleuren die Emmy mooi vond en die haar goed stonden. Een paar leuke gympen kocht ze er zelf bij. Het werd een dag met een sterretje, en Kate vroeg zich met een bedenkelijk gezicht af of hun geest misschien was verweekt.

'Sorry, meiden, maar dit is te soft voor mij. Syl, gooi even een hatelijke opmerking in de groep dan zal ik die scherp beantwoorden.' Er werd honend gelachen maar niet verder op gereageerd.

Tegen achten waren ze weer op honk. Gegeten hadden ze onderweg dus was alleen een pot koffie nog belangrijk. 's Avonds speelden ze Hints en aan het eind hadden ze buikpijn van het lachen. Het was een zotte vertoning geworden, en Sylvia wilde nog wel zoiets bedenken voor een andere avond.

Zondag in de loop van de dag zouden ze naar huis vertrekken, want ook al hadden ze het huis tot maandagochtend gehuurd, ze vonden het beter om op zondag de vakantie af te sluiten.

Onderweg zouden ze nog wat met elkaar eten en daarmee was het voorlopig voorbij.

Maar gelukkig was het nog niet zover en genoten ze nog van elkaars gezelschap.

Kate had de woensdagavond voor haar story gereserveerd. Dan konden ze eventueel op donderdag aan hun werkstukje beginnen, want het was wel iets waar over nagedacht moest worden. Kate had het lootje van Sylvia getrokken, Bettie van Emmy, Emmy van Kate en Sylvia van Bettie. Het thema was iets weer te geven van hetgeen ze elkaar hadden verteld. Maar alsjeblieft, degene die mij heeft, maak er geen snottertoestand van, had Kate geëist.

'Wat zal het vreemd zijn ons leven weer te moeten oppakken,' mijmerde Bettie. 'Er is zoveel gebeurd en besproken, en ieder van ons heeft zich voorgenomen er in ieder geval iets mee te doen. Laten we afspreken dat we over een maand bij elkaar komen om te bespreken wat er is veranderd. Een maand nadat we weer thuis zijn. Jullie komen dan bij mij en blijven ook gezellig lunchen.'

'Oké, en ik zal voor de catering zorgen,' beloofde Sylvia. 'Ik vind het niet nodig dat jij de dag ervoor de hele tijd in de keuken moet staan. Bak maar wat lekkers voor bij de koffie en een pan soep voor de lunch, dat is meer dan voldoende.'

'En ik zorg voor de wijn,' voegde Kate eraan toe.

'Tja, wat verwachten jullie dan van mij?' vroeg Emmy, 'ik wil ook mijn aandeel in het geheel hebben.'

Er werd hevig nagedacht.

'Oké, jij maakt voor ons een mooie menukaart, want zo mooi en fijntjes tekenen kunnen wij niet. Er mee eens, Em?' vroeg Kate. 'Je zoekt tegen die tijd maar contact met Syl wat voor culinairs er op de menukaart moet komen te staan.'

Emmy vond het wel een mooie opdracht en ze nam zich voor er iets bijzonders van te maken.

Het werd woensdag en Kate zag toch wel erg op tegen haar beloofde bekentenissen. Ze hadden die dag het huis vast een beetje op orde gebracht. De laatste wassen werden gedraaid, en Bettie keek de kastjes en koelkast na in de keuken. Ze besloten zoveel mogelijk eerst op te maken voor er weer boodschappen werden gedaan. Rond acht uur zaten ze aan de koffie, en vreemd genoeg voelden ze zich wat onbehaaglijk nu het de beurt was aan Kate.

'Oké, ik zal er maar mee beginnen anders komt het er niet meer van,' zei ze kortaf. 'Ik zeg er ook gelijk bij dat ik het op mijn manier vertel, dus kort en zakelijk.

Mijn jeugd was wat je noemt niet iets wat je je hele leven koestert. Mijn ouders hadden allebei een veeleisende baan, en veel aandacht en tijd voor mijn broer en mij schoot er niet over. Mijn broer is vijf jaar ouder en is getrouwd met een Engelse. Hij woont in Oxford met zijn gezin. Ik was als kind nogal rebels en ik werd dan ook zo snel mogelijk op een kostschool opgeborgen. Daar rebelleerde ik zoveel ik de kans kreeg, en menigmaal moest een van mijn ouders komen opdraven. Ik haatte hen in die tijd. Ik was ongeveer zestien toen ik mijn eerste vriendje kreeg, ofwel seks had, want ik mocht die knul niet eens. Maar ja, ik wilde mijn ouders treffen en daar deed ik zoveel mogelijk mijn best voor. Ik raakte dan ook direct zwanger. Voor mijn rechtgeaarde ouders was het een mokerslag en je begrijpt het wel, ik werd weer weggestuurd. Mijn moeder kon de schande niet aan en stortte in, heel grappig eigenlijk. Abortus kwam niet in hun woordenboek voor dus moest ik het kind voldragen. Ik kwam op een boerderij terecht en voor het eerst in mijn leven had ik een leuke tijd, al was de reden ervan minder geslaagd. Het echtpaar waar ik bij in huis was had het niet breed en er werd goed voor mijn logies betaald. Maar ik gunde het hen van harte want het waren schatten van mensen. Ze hadden een tweeling van tien en dat waren echt duveltjes, maar op een leuke manier. Ik beviel in een kliniek en dat was allemaal van tevoren door mijn ouders geregeld. Ze eisten dat ik het kind afstond. Misschien heel raar maar ook dat interesseerde me niet, ik wilde het kind helemaal niet. Mijn enige doel was mijn ouders zoveel mogelijk te choqueren en dwars te zitten. En dat is me ook aardig gelukt. Mijn ouders zijn mensen die elkaar gevonden hebben omdat ze beiden gevoelloos waren. Ik weet dat ik in jullie ogen misschien op ze lijk, maar geloof me, dat is niet zo. Door alle ervaringen in mijn leven heb ik mezelf een houding aangemeten zodat niemand te dichtbij komt. En daar zijn mijn ouders debet aan; ze hebben in mijn jeugd alle gevoel van spontaniteit weten uit te roeien. Ook mijn broer leed er onder maar hij is zo gauw hij de kans kreeg uit huis gegaan. Zijn vrouw heeft een goede invloed op hem en ze heeft er een sympathiek mens van weten te maken. Harro is er voor zijn kinderen, en zo ver van zijn ouderlijk huis vandaan hadden mijn ouders geen invloed meer op hem. Een paar maal per jaar zien ze elkaar maar daar blijft het dan ook bij.' Kate lachte schamper: 'Ze speelden ineens de gezellige en belangstellende grootouders maar gelukkig trapte Harro daar niet in.

Maar goed, de bevalling naderde en ik werd in de kliniek opgenomen. Ik heb gegild als een speenvarken en gevloekt als een bootwerker tijdens de bevalling. Later realiseerde ik me dat ik al mijn woede en frustraties heb geloosd op die manier. Ik wilde het kind niet zien en ook niet weten wat het was geworden. Maar mijn pleegouders, zo noemde ik ze, hebben foto's genomen en zij weten wel of het een zoon of een dochter was. Ik heb er nooit naar gevraagd al ben ik ieder jaar in de vakantie naar ze toe gegaan. Ik was weer vrij en kon kunstgeschiedenis gaan studeren. Mijn moeder wilde me uiteraard niet meer thuis hebben, dus ben ik naar mijn broer in Oxford gegaan en heb daar de kunstacademie bezocht. Toen ik klaar was ben ik naar Nederland teruggegaan en heb een kamer gezocht. Ik ben nooit meer naar mijn ouders gegaan en zij hebben evenmin contact met mij gezocht. Nou, dat was het dan!' Ze keek met kille ogen de anderen aan die diep geschokt waren.

Bettie kuchte nerveus maar stelde toch de vraag die haar op de lippen brandde: 'Heb je er achteraf nooit spijt van gehad, Kate? En is er niet een tijd geweest dat je wilde weten wat er van je kind is geworden? Weten je pleegouders overigens wel waar je kind is terechtgekomen?'

'Op de eerste twee vragen kan ik 'nee' zeggen. Maar de adoptie-ouders hebben een paar keer per jaar contact met mijn pleegouders. Nu nog trouwens. Dat is ook de reden dat ik al jaren niet meer naar het noorden ga, omdat ik wel op mijn klompen kan aanvoelen dat ze me willen ompraten om eindelijk contact te zoeken. Ik wil dat niet en daarom ga ik er niet meer naar toe. Het zijn lieve mensen, maar voor mij nemen gedane zaken geen keer en dat weten ze duvelsgoed, dus dan maar geen contact meer.'

'Heb je geen relatie meer gehad na die trieste gebeurtenis?' vroeg Emmy bedrukt.

'Ja, natuurlijk wel, maar altijd op vrijblijvende basis. Ik wilde niet gebonden zijn en dat maakte ik hen al snel duidelijk. De meeste van mijn relaties hadden trouwens dezelfde instelling dus verliep dat over het algemeen vrij probleemloos.'

'En nu?' liet ook Sylvia zich eindelijk horen.

'Ik heb, voor ik hierheen ging, juist weer een vrijblijvende relatie verbroken,' klonk het cynisch. 'Jongens, verwacht van mij geen sentimentele reactie want dat zit er niet in. Ik heb een fles champagne in de koelkast staan want we moeten toch vieren dat we onze biecht hebben voltooid.' Ze stond op en liep naar de keuken. De anderen keken elkaar perplex aan, ze wisten absoluut niet hoe er mee om te gaan.

'Santé, meiden,' Kate hief haar glas, 'dat was het dan voor zover!'

'Ja, de ballen,' zei Emmy grof. 'Ik trap niet in die onaantastbare houding van jou. Je probeert hiermee te voorkomen dat we lastige vragen gaan stellen. Nou, jammer dan, maar ik stel die in ieder geval wel.'

Kate kneep haar ogen tot spleetjes: 'Volgens mij heb ik al aangegeven dat ik daar niet van gediend ben. Heb je misschien vanochtend je oren niet gewassen?'

Emmy haalde haar schouders op: 'Je kunt mij niet intimideren door hatelijk te worden hoor! Toen we hier pas waren misschien wel maar nu niet meer in ieder geval. Ik heb je redelijk goed leren kennen en je kunt wat mij betreft de boom in met je opsomming van feiten. Je hebt wel degelijk verdriet om dit alles, want waarom gedroeg je je ineens zo drakerig van de week? Je wilde je verhaal niet vertellen omdat je er niet mee om kunt gaan. Je hebt als laatste alle tijd gekregen je houding te bepalen en dat is je gelukt, maar niet echt. Trouwens,' zei ze toen met een ondeugende blik naar Sylvia, 'dat was eigenlijk meer een opmerking voor jou.'

Het brak de spanning voor het moment en Sylvia kreeg een kleur. 'Dat was een stoot onder de gordel, Em, foei! Maar wat Kate betreft heb je wel gelijk. Ik heb overigens gemerkt dat ze de laatste dagen wat meer naar jou toetrekt. Ik denk dat jij het dichtst bij de leeftijd staat van haar kind.'

Ze wendde zich vervolgens tot Kate die onverschillig naar buiten keek. 'Ik vind dat jij je op een manier gedraagt die je eigenlijk je ouders verwijt. Maar ik weet evengoed dat je helemaal niet gevoelloos bent, en dat weet jijzelf ook. We hebben allemaal ons verhaal verteld omdat we weten dat we er iets mee moeten doen. Dat geldt voor jou net zo goed. Je had bovendien ook een ander verhaal kunnen vertellen en daar waren we wellicht ingetrapt. Maar je deed dat niet omdat je ons wilde laten weten wat voor drama er in jouw leven heeft plaatsgevonden. Afgezien van het verdriet om de houding van je ouders.'

'Bettie, wil jij er misschien ook nog een psychologische gevolgtrekking aan toevoegen? Ga dan vooral je gang en geneer je niet!'

Kate schonk haar glas opnieuw vol en dronk het in één teug leeg. De hand om de steel beefde licht, en dat ontging niemand.

'Ik denk,' zei Bettie rustig,' dat jullie allemaal gelijk hebben, ook Kate. Als zij er niets aan wil toevoegen is dat haar goed recht. Alleen,' ze keek daarbij Kate met een zachte blik aan, 'schiet jij er niets mee op. Wij willen geen rechter spelen, liefje, maar je proberen te helpen zoals we dat steeds hebben gedaan. Je kunt niet van ons verwachten dat het ons niets doet. Misschien is jouw story wel de meest trieste van ons vieren.'

Kate vocht op dat moment een strijd uit met zichzelf en daar had ze het verschrikkelijk moeilijk mee. Ze voelde de tranen achter haar ogen branden en haar adem ging gejaagd. Hier was ze bang voor geweest, emoties tonen en haar gevoel laten spreken.

'Ik geloof niet dat het zin heeft er verder op in te gaan,' hield Kate toch de boot af, 'jullie weten het nu en dat lijkt me voldoende.'

'Ja, dat is lekker makkelijk,' viel Sylvia uit, 'bij een ander emoties ontlokken en daar dan minzaam begrip voor tonen, kom nou, Kate!'

'Houd je bek, Syl, je weet niet waar je het over hebt,' zei ze woest. Het was niets voor Kate om grove taal te gebruiken en de anderen waren dan ook zeer verbaasd. 'Wie ben jij dat je een oordeel over mij kunt vellen,' ging ze op felle toon verder.

'Nou,' zei Sylvia laconiek, 'vertel ons dan hoe het echt zit en wat je werkelijk voelt!'

Zo, die zit, dacht Bettie, die Syl heeft haar toch maar mooi op haar nummer gezet. Inwendig lachte ze om het onschuldige gezicht van Sylvia.

'Ik voel me niet geroepen erop in te gaan.' Kate sloeg demonstratief haar armen over elkaar en klemde met een grimmig gebaar haar lippen opeen.

'Zo komen we niet verder, kinderen. Maar de manier waarop jij reageert, Kate, slaat ook nergens op. Je doet net of wij je aanvallen en dat is absoluut niet het geval, en dat weet je ook wel. Ik denk dat we er voor vanavond maar mee kappen want de sfeer wordt er niet beter op. Welterusten!'

Bettie liep zonder nog naar de anderen te kijken naar haar slaapkamer en sloot de deur achter zich.

Emmy floot Duke die onmiddellijk naar haar toe vloog. Ze hees zich in de gang in haar jas en verdween naar buiten.

Sylvia bleef besluiteloos zitten en wist met haar houding geen raad. Moest ze Kate in haar sop laten gaarkoken of nog een poging ondernemen om haar vriendelijker te stemmen. Maar Kate loste het zelf op door ook naar haar kamer te gaan.

'Nou dan niet,' mompelde Sylvia en zette de kopjes en glazen op een blad en bracht het naar de keuken. 'Gatver, wat een rotavond.' De vuile spullen werden in de afwasmachine gezet. Toen leunde ze nog even met haar ellebogen op het aanrecht. Waarom reageerde Kate zo abnormaal, vroeg ze zich af, iedereen was aangeslagen door de geschiedenis en dat kon toch ook niet anders. Traag kleedde ze zich uit en kroop in haar bed. Zin in een bad of een douche had ze niet. Een halfuur later kwam ook Emmy de slaapkamer binnen.

'Is Duke weer bij Bettie op de kamer?' vroeg ze.

'Ja, ik heb hem naar binnen geschoven, ik had geen zin om nog met Bettie te praten met Kate in de kamer ernaast. Het is best gehorig en ik wilde niet dat ze ons hoorde.' Emmy stapte ook in bed maar bleef net als Sylvia tegen de kussens geleund zitten.

'Ik ben blij,' zei Sylvia toonloos, 'dat ik het lootje van Bettie heb getrokken voor ons werkstukje, al weet ik evenmin wat ik daarmee aan moet. Ook haar verhaal werkt niet erg inspirerend voor een vrolijk doekje. Bah, wat een miserabele avond.'

Emmy schoot in de lach, zo mistroostig als Sylvia klonk.

'Als het je troost, ik heb Kate getrokken. Dus kijk maar weer een stukje vrolijker. Ik heb ook geen idee wat het moet worden. Het mag niet te soft zijn, geen emoties oproepen… Ik maak liever een schilderijtje van Duke,' voegde ze er met een grote grijns aan toe.

'En wat Bettie betreft, ach je werkt altijd met felle kleuren, maak er een modern schilderijtje van zodat iedereen zich zal afvragen wat het voorstelt. Ik heb het een stuk moeilijker met Kate, ze is vanavond toch wel van haar voetstuk gevallen ben ik bang.'

'Ik heb het er erg moeilijk mee hoe iemand zo gevoelloos kan handelen en denken,' peinsde Sylvia. 'Je hoort toch altijd dat moeders het kind nooit uit hun gedachten laten gaan, ze hunkeren heel vaak naar contact. De ene keer is de moeder op zoek en de andere keer het kind. Maar dit slaat alles.'

'Geloof niet in die stoerheid, Syl, het is als fluiten in het donker. Ze is gewoon bang, bang dat het tegenvalt en het kind haar afwijst. Kind, zij of hij is bijna even oud als dat ik ben. Kate heeft haar hart en gevoel gepantserd en jij hebt daar een barst in laten komen, vandaar dat ze zo hels werd op jou. Ik zag Bettie een lach verbijten bij jouw aanval,' grinnikte Emmy. 'Maar alle gekheid op een stokje, ze schijnt een rare jeugd te hebben gehad. Ik weet wat liefdeloosheid inhoudt, Syl, en daar blijf je je hele leven last van houden. Je durft je ook niet aan een ander over te geven uit angst dat je gekwetst of bedonderd wordt. Je kunt moeilijk geloven dat er iemand bestaat die van je houdt en jou de belangrijkste vindt. Het klinkt misschien bizar maar het is wel zo! Kijk, er zijn gelukkig mensen om me heen die blijven proberen om me er wel in te laten geloven, zoals mijn tante en nichtje, en Fabio. Mijn broertje worstelt met hetzelfde maar gaat er toch beter mee om.'

'Ja, maar ik neem aan dat hij niet is misbruikt,' meende Sylvia. 'Jij hebt alles tegen gehad in het leven dat je maar tegen kunt hebben. En dat heeft een eenzaam mensenkind van je gemaakt.'

'Wat ben jij veranderd, Syl,' klonk het warm vanuit het andere bed, 'jij bent echt in jezelf gegroeid. Zo oppervlakkig als je bij ons overkwam ben je beslist niet. En dat is Kate ook niet, alleen is het schild om haar heen zo hard dat er moeilijk doorheen te komen is. Maar nu ga ik slapen. Kate komt er wel op terug, dat zul je zien en beleven.'

'Ik hoop het van harte,' zei Sylvia hartgrondig en smoorde een geeuw. Ze draaide zich op haar slaapzijde en even later ontfermde de slaap zich over haar.

Bettie kon de slaap niet vatten en luisterde naar muziek op haar mp3-speler. Het was klassieke muziek en dat maakte haar normaal altijd rustig. Maar ze vond het moeilijk Kate uit haar gedachten te bannen en zelfs door de muziek heen hoorde ze flarden van haar verhaal. Arme Kate!

In de kamer ernaast lag Kate snikkend met haar gezicht in haar kussen gedrukt. Ze wist met zichzelf geen raad en voelde zich door de anderen in de steek gelaten. In haar hart wist ze wel dat het niet zo was maar het oude gevoel overmande haar volkomen. Je bent een blok aan mijn been, je denkt dat je belangrijk bent maar dat kun je wel vergeten, je vader moet ook niets van je hebben, als baby was je al een lastpak; zo maalde het maar door in Kates hoofd. Je bent zwanger, je bent niets meer of minder dan een hoer, verdorven ben je ook, al ben je pas zestien. Je hebt geen toekomst die heb je voorgoed vergooid door een kind te krijgen. Kate stopte haar vingers in haar oren om de stem van haar moeder in haar hoofd buiten te sluiten. Ze redde het niet en vloog uit haar bed, de kamer van Bettie in, die zich lam schrok, zo verschrikkelijk als Kate eruitzag.

'Roep de anderen,' huilde ze, 'ik kan niet meer!' Bettie schoot een ochtendjas aan en sloeg een arm om haar wanhopige vriendin heen.

'Ga zitten, Kate, ik haal een kalmeringstabletje voor je.' Ze hield een glas water aan Kates mond en gaf haar het tabletje. 'Ik roep de anderen maar beloof me rustig te blijven waar je bent.' Ze liep snel naar de andere kamer maar Emmy en Sylvia stonden al verschrikt naast hun bed.

'Kate is emotioneel doorgeslagen, ze vraagt of we bij haar komen zitten.'

'Ja, natuurlijk,' zei Sylvia met bibberde stem, 'ze weet toch dat we haar niet in de steek laten.'

'Ga naar hun kamer, Syl,' Emmy gaf haar een duwtje in haar rug, 'ik ga koffie zetten en kom zo ook bij jullie.'

Bettie en Sylvia zetten hun stoel dicht bij de stoel van Kate. 'Ik hoor almaar de kijvende hatelijke stem van mijn moeder in mijn hoofd,' fluisterde Kate met vreemde stem. 'Ik kan haar niet weg krijgen, ze blijft maar op me in hakken. O, ik zou haar kunnen vermoorden om wat ze me heeft aangedaan.' Met verwilderde ogen keek ze op zonder de anderen te zien.

'Koffie, Kate, kom, drink het lekker warm op, je zult ervan opknappen,' Emmy reikte haar de koffie aan. Ze had de koffie in een grote beker gedaan omdat de handen van Kate zo trilden. Iemand moest nu zien dat ze Kate geestelijk kon bereiken en haar terug in de werkelijkheid kon brengen. Emmy zat tegenover haar en nam de lege beker uit haar bevende handen.

'Kate,' zei ze op vrij forse toon, 'het is goed zo, je bent bij ons en wij houden van je, dat weet je toch!' De toon en de woorden van Emmy drongen langzaam door in Kates verwarde brein en gelukkig kwam ze weer een beetje tot zichzelf. Bij het zien van hun bezorgde gezichten sloeg ze haar handen voor haar gezicht en huilde erbarmelijk. Niemand raakte haar aan op dat moment want dit moest ze zelf doen. Even later pakte ze het koude washandje aan dat Bettie haar gaf. Ze wreef er mee over haar gezicht en zuchtte een aantal keren heel diep. 'Bedankt, ik geloof dat ik er weer ben,' een waterig lachje trok om haar mond. 'Jullie hadden gelijk,' zei ze even later zachtjes, 'je hebt recht op het hele verhaal. Maar ik heb het zo lang binnengehouden dat het mijn hele leven beheerste. Jij had gelukkig mensen die zich om je bekommerde, Em, ik had die niet. Mijn broer is een beste jongen maar ik heb er geen steun aan gehad. In zijn hart veroordeelde hij evengoed mijn gedrag en het feit dat ik om mijn ouders te treffen me zwanger liet maken. Ik weet niet eens de naam van die knul, achteraf niet goed te praten natuurlijk. Harro heeft ook weinig genegenheid ondervonden maar tegen hem was mijn moeder niet gemeen. Dat was ze in alle opzichten wel tegen mij. Ze heeft me geprobeerd te breken maar dat is haar gelukkig nooit gelukt.'

'Nee, maar ze heeft er wel voor gezorgd dat je iedereen buiten je gevoelswereld hebt gehouden. Je wilde hard en onaantastbaar blijven en dat is je tot nu toe ook gelukt. En je hebt gelijk, mijn tante en Fabio waren er wel voor me, zoals wij er nu voor jou zijn. Toen ik mijn verhaal vertelde voelde ik dat als een vernedering, alsof ik minderwaardig was. En ik denk dat jij dat ook zo voelde en dat je daarom je emoties niet wilde tonen.'

'Daar heb je wel een beetje gelijk in, Em. Ik vond dat als ik alles vertelde het afbreuk deed aan mijn persoonlijkheid. Ik heb gevochten om het respect van mensen te verdienen en ik wilde daarom ook absoluut geen loser zijn.'

'Daar hoef je niet bang voor te zijn. Het feit dat je ons in vertrouwen nam, daarmee verdien je alleen maar meer respect,' merkte Bettie rustig op. 'Maar ik vraag me af of je vader eenzelfde rol in jouw leven heeft gespeeld als je moeder. Want over hem hoor ik je eigenlijk niet.'

'Mijn vader is een pantoffelheld, al moet ik zeggen dat ik wel wat pittiger benamingen voor hem heb maar die zal ik jullie besparen. Hij heeft het één keer voor me opgenomen toen ik een jaar of twaalf was. Mijn moeder strafte hem onmiddellijk af door hem messcherp van repliek te dienen. Verder heeft hij er altijd het zwijgen toe gedaan.'

'Maar dat wil niet zeggen dat hij het met je moeder eens was!'

'Daar had ik op zo'n moment weinig aan,' klonk het bitter, 'als hij een vent was geweest was hij openlijk voor me opgekomen. Als vader stelde hij niets voor, ook niet voor mijn broer.' Gelukkig had Kate zichzelf weer in de hand en was de opkomende hysterie geweken. Ze beantwoordde de vragen op haar eigen flegmatieke wijze maar de intens vermoeide trek op haar gezicht vertelde een ander verhaal.

'Mag ik even terugkomen op het belangrijkste deel, de baby?' vroeg Bettie voorzichtig.

'Tja, daar kom ik natuurlijk niet onderuit, ga je gang maar!'

'Heb je hem of haar echt uit je systeem geweerd, of kwam er een tijd dat je je toch het een en ander hebt afgevraagd. Bijvoorbeeld wat het geslacht van het kind was, of het goed terecht is gekomen en meer van dat soort dingen.' Bettie kreeg het er warm van want voor hetzelfde geld werd ze weer teruggewezen.

'Toen ik een jaar of dertig was heeft het inderdaad een tijdje een rol gespeeld. Ik besefte dat, als ik zo doorging, ik nooit een huiselijk leven inclusief een paar kinderen zou hebben. Ik ben daar lang mee bezig geweest en kwam uiteindelijk tot de conclusie dat het goed was zoals mijn leven eruitzag. Ik ben geen moederlijk type en zeker geen huisje-boompje-beestje figuur. Ik wilde ook geen man vierentwintig uur om me heen hebben en ik wilde al helemaal niet mijn zelfstandig leven opgeven. Ik heb er tot nu toe ook geen spijt van. Wel ging ik me inderdaad datgene afvragen waar jij het over had, Bettie. Maar voor jullie zal het vreemd klinken, ik had er geen bepaalde gevoelens bij. Het was gewoon een soort nieuwsgierigheid denk ik.'

'En hoe denk je er nu over?' mengde eindelijk Sylvia zich in het gesprek.

'Ik weet het eerlijk gezegd niet. Zoals ik me zo-even voelde, daaruit zou ik kunnen concluderen dat het me diep vanbinnen meer doet dan ik naar buiten heb gebracht. Nu weet ik het echter niet meer want ik voel me nu zoals ik me normaal voel. Ik schijn me gevoelsmatig snel te herstellen en ook dat is te danken aan het verleden.'

'Mm, aan de andere kant zou je kunnen proberen je gevoelens wat meer te gaan ontleden, zonder dat je weer in een overspannen situatie terechtkomt. De geest, ofwel de stop is nu uit de fles.'

'Het zou kunnen, Syl, ik wacht maar af wat er in me naar boven komt de komende tijd. Ik zal me er niet meer voor afsluiten, dat beloof ik jullie. Misschien dat ik een dezer dagen contact opneem met mijn pleegouders... Ik zie wel waar het schip strandt. Maar dat houdt niet in dat ik contact wil met het nu volwassen kind. Ik denk dat ik voorlopig genoeg heb aan wat oppervlakkige informatie.'

'Ga je ook de confrontatie met je vader aan, Kate? Nu kan het nog, je ouders zijn nog in leven. Maar straks is het te laat en blijf je met vragen zitten, zeker aan hem.'

'Bettie, je bent een schat met een groot en warm hart, maar ik weet niet of ik daar behoefte aan zal hebben. Hij heeft nooit enige moeite gedaan om zich met mij in verbinding te stellen, dus waarom zou ik mij dan die sores op de hals halen?'

'De gedachte aan je vader dringt zich erg aan me op, vandaar dat ik ermee kom.'

'Je bedoelt dat hij misschien ziek is en op korte termijn doodgaat? Ach, zo'n drama zou dat niet zijn vermoed ik. Maar oké, ik zal er over nadenken,' beloofde ze bij het zien van de bezeerde uitdrukking op het gezicht van Bettie. 'Maar nu gaan we echt naar bed, het is halfvier in de ochtend. We moeten maar lekker uitslapen. Bedankt schatten! Ik kan het niet zo gevoelvol zeggen maar jullie zijn het beste medicijn en de beste psychologen. Slaap lekker!'

Kate stond op en ging haar eigen kamer weer in. Doodmoe viel ze op haar bed neer en legde haar handen over haar ogen alsof ze onwelkome beelden buiten wilde sluiten.

Bettie deed de lichten uit en bracht de vuile kopjes naar de keuken.

'Als we morgen willen uitslapen,' zei Emmy tegen Bettie, 'dan

laat ik Duke nog even uit. Ik schiet wel een broek en een jas aan.'
'Oké, maar dan ga ik met je mee, ik laat je echt niet midden in nacht alleen naar buiten gaan.' Verontwaardigd trok Sylvia ook een jas aan.
'Je loopt in je nachtgoed, gekkie,' lachte Emmy. 'Ik haal even een broek, en wee je gebeente als je ervandoor gaat.'
Grinnikend stapte Bettie haar bed in, het zat wel goed tussen die twee, wie had dat ooit kunnen denken.
In de slaapkamer van de twee vriendinnen werd later niet meer gesproken en binnen een paar minuten waren ze onder zeil.

Rond elf uur de volgende ochtend vond Duke het welletjes. Hij besnuffelde eerst zijn eigen vrouwtje en toen die geen respons gaf ging hij het een paar deurtjes verderop proberen. En daar boekte hij direct resultaat. Een steenkoude neus werd in Emmy's hals geduwd en dat werd gevolgd door een lange lik over haar gezicht.
'Ja, ja, ik begrijp het al,' Emmy sloeg haar armen om de nek van de hond en ze was in een oogwenk aangekleed. Tenminste, het was dezelfde outfit als vannacht. Ze trok snel de slaapkamerdeur achter zich dicht want Sylvia was nog in diepe rust. Ook uit de andere twee kamers klonken nog geen geluiden.
Na een frisse wandeling kwamen hond en vrouwtje weer terug. Duke werd van eten en drinken voorzien en mocht daarna in de tuin ravotten.
Emmy dekte de tafel, zette koffie, kookte eieren en perste sinaas-appelen uit. Daarna roffelde ze op diverse deuren waarachter grommende slaapgeluiden klonken. Slaperig kwamen ze een voor een de kamer in.
'Kom, meisjes, handjes en snuitjes wassen en aan tafel komen.'
'Em, please, niet zo opgewekt alsjeblieft,' Sylvia geeuwde luid-ruchtig en krabde zich ongegeneerd op haar hoofd.
De andere twee verdwenen om naar het toilet te gaan en hun tan-den te poetsen. Redelijk snel zat iedereen aan tafel.
'Mm, lekker, Em. Hoe komt het dat jij zo vroeg eruit bent gegaan?' vroeg Sylvia met haar mond vol toast.

'Nou, vroeg,' grinnikte Emmy, 'als jullie even op de klok willen kijken dan zie je dat het middag is.'

'Shit, inderdaad, maar ik heb lekker geslapen. Vandaag gaan we aan de werkstukjes beginnen?' Sylvia keek de anderen aan.

'Wat mij betreft prima,' antwoordde Kate. 'Onze zielen zijn gewassen dus staan we open voor creatieve indrukken.'

'Heb je geen inspiratie, Em?' vroeg Sylvia die samen met haar in de tuin werkte. Kate schilderde op haar kamer en Bettie zat aan de eettafel te werken.

'Nee, totaal niet.'

'Ja, kind, het valt niet mee als je het lootje van Kate hebt getrokken,' zei ze met een ondeugend gezicht, 'ik voel met je mee.'

Em rimpelde in gedachten haar neus. 'Hoe moet ik nou na gisteravond en vannacht iets zinnigs op het doekje brengen. Geen snottergebeuren, geen emotie, tja, dan blijft er weinig over. Wie heb jij ook alweer?'

'Ik heb Bettie, maar ook dat valt niet mee. Iets over haar leven schilderen is evenmin gemakkelijk.'

'Nee, daar heb je gelijk in, het is een beladen onderwerp. Kun je nagaan, Kate zelf heeft ons dit opgedragen, terwijl de restricties ook uit die hoek komen. Ik weet het echt niet!' Emmy zat tegen de stam van een boom, en kloof op de achterkant van haar potlood.

'Wat was je dan van plan te tekenen? Je kan beter niet de baby als onderwerp kiezen want dat zal zeker verkeerd vallen. Waarom teken je niet de rebel die ze als kind was?'

Verheugd ging Emmy weer in kleermakerszit zitten met het schetsboek op haar schoot.

'Wat een keigoed idee, Syl, bedankt.'

'Ja, best cool en vet hè?' lachte Sylvia.

'Ik wilde eerst eigenlijk iets tekenen zoals An Geddes, je weet wel die onder andere baby's op bloembladeren tekende. Het leek me mooi en symbolisch.'

'Ja, maar niet voor onze Kate. Maar kom, ik ga ook weer verder, succes, Em.'

HOOFDSTUK 6

Tegen etenstijd was ieder zover klaar met het werkstukje, en stonden ze te drogen met de voorkant naar de muur van de berging gericht. Kate had een heerlijk geurende grote stapel pannenkoeken gebakken en met een ontspannen en voldaan gevoel schoven ze aan tafel. De stapel was aardig geslonken toen ze hun stoel achteruit schoven.

'Ik kan niet meer,' verzuchtte Bettie, 'maar het was heerlijk. De rest eten we morgen bij het ontbijt wel op. Op zijn Amerikaans want pannenkoeken horen voor hen echt bij het ontbijt, al is het meestal voor de kinderen. We hebben vrienden in Florida dus zodoende heb ik dat geregeld meegemaakt. Het zijn supervriendelijke mensen maar helaas wel uit de wereld van Ernst.'

'Dus voor jou passé als je de scheiding doorzet,' opperde Kate.

'Ja, dat zit er dik in, zo raak ik wel meer mensen kwijt die geregeld op bezoek kwamen.'

'Dat weet je niet, Bettie. Het hoeft niet zo te zijn dat die mensen jou alleen maar zien als een verlengstuk van Ernst. Als ze sympathie voor je voelen kunnen het toch je vrienden blijven,' zei Sylvia hartelijk.

'Ach ja, we zien wel, het is nog niet zo ver!'

Niemand ging erop in want ze hadden gemerkt dat Bettie zich vandaag wat labiel opstelde. En dan had het geen zin haar te pushen.

'Ik neem vanavond een bad,' kondigde Bettie plotseling aan.

'Goed van je, Bettie, zoek maar een lekkere badolie uit, je weet, mijn assortiment is aardig uitgebreid. Laat de anderen maar de troep opruimen dan laat ik vast het bad vollopen. Kom mee naar mijn kamer en zoek iets geurigs uit.'

Bettie had haar keus gemaakt en ging haar nachtspullen halen. Even later kwam ze de badkamer in waar het inmiddels heerlijk rook. Aarzelend ging Bettie even op de rand van het bad zitten en sloeg gedachteloos het redderen van Sylvia gade.

'Ik laat je zo alleen maar als je wijs bent dan laat je Emmy je nek masseren. Ik heb gemerkt dat je weer heel gespannen bent en je hoofd haast niet kan draaien.'

'Slim van je opgemerkt, Syl, hoe heb ik jou ooit oppervlakkig kunnen vinden. Maar ik vind het wel een beetje eng. Als ik een schuimbad had zou ik het niet zo erg vinden.'

'Om bij het eerste te beginnen, het was mijn eigen schuld dat jullie me oppervlakkig vonden want zo gedroeg ik me ook. Het tweede, het is goed als je je aan een ander durft te vertonen, dat maakt het voor jou een stuk eenvoudiger. Emmy is een wijs kind en voor jou werkt dat denk ik als een verzachtende balsem. Durf, Bettie, het zal je goed doen.'

'Oké, vraag jij het haar dan?'

Even later kwam Emmy de badkamer in met een flesje massageolie.

Bettie probeerde het litteken af te schermen met haar badspons maar Emmy deed alsof ze het niet zag. Ze ging op het plateautje zitten aan het hoofdeinde.

'Kun je een beetje rechtop gaan zitten, Bettie, dan kan ik er beter bij.' Bettie gleed wat onderuit omdat ze maar één hand gebruikte. Emmy nam haar andere hand van het litteken vandaan en hielp haar overeind.

'Ik heb dit al eerder gezien, Bettie,' loog ze vol overtuiging, 'dus geneer je niet. Ontspan en geniet. We vinden het fantastisch van je dat je het aandurft. Je weet dat ik een week geleden ook de sprong heb gewaagd, al was het dan om een andere reden.'

Haar praten kalmeerde Bettie en ze liet gewillig haar nek masseren. Emmy keek over haar schouder naar het litteken dat tot onder haar oksel doorliep. Haar andere borst was mooi en gaaf en nog jeugdig van vorm. Emmy maakte haar erop attent en Bettie bloosde licht. Ze was namelijk zelf ook trots geweest op haar borsten en het gemis ervan gaf haar nog steeds een schrijnend gevoel.

'Het litteken is lelijk, Em, en ik begrijp best dat Ernst het afstotelijk vond,' klonk het toch wat verdrietig.

'Nee, Bettie, het is niet afstotelijk, dat was het gedrag van Ernst. Hij kan straks ook iets gaan mankeren en dan ondervindt hij zelf

hoe het is als je zo wordt behandeld. Prostaat of teelbalkanker, het kan hem zomaar overkomen. En dan heb ik het nog niet over een beroerte of iets dergelijks. Is hij echt in de veronderstelling dat hij daarvan gevrijwaard blijft, ik dacht het niet!'
Hè, Em, laten we het over iets vrolijkers hebben. Maar ik moet zeggen dat ik daar toch ook wel eens aan denk. En ik weet voor mezelf dat ik het niet zou kunnen opbrengen hem te helpen. Ik voel niets meer voor hem en ben hem dan ook niets verplicht.'
'Nee, maar jou kennende laat je niemand in de steek en zie je het als een morele plicht een ander te helpen. Maar hoe voelt je nek nu aan?'
'Heerlijk, Em, ik wil nog wat warm water erbij en als je het niet erg vindt wil ik nog even alleen genieten.'
'Dat is prima, als je me nodig hebt dan roep je maar. Want het bad is glad van de olie als je eruit wilt.'
'Het was Sylvia die haar hielp uit het bad te komen. Ze sloeg een groot badlaken om haar heen en wreef haar rug droog. Bettie slaakte een zucht van verlichting: 'Ik ben eroverheen, Syl, ik schaam me niet meer voor mijn geschonden lijf.'
'Dat is je maar geraden ook, er is niets waarvoor jij je zou moeten schamen. Je hebt een mooi stevig lijf. Als je mij in mijn blootje zou zien… Wat een handgrepen heb ik, plus putjes in mijn dijen en nog meer van dat fraais. Alleen,' grijnsde ze, 'ik weet het aardig te verdoezelen. Zo, en nu je badjas aan en dan op naar de wijn. Ik vermoed dat Kate er naar zit te smachten.
'Zo, dame, lekker gepoedeld,' vroeg Kate en ze schonk de glazen vol. 'Je ruikt goed moet ik zeggen.'
'Sylvia schoof de badolie met de bijbehorende bodylotion naar Bettie. 'Alsjeblieft, je hebt het verdiend, net als Emmy. Jullie maken me arm, dat wel! Nee hoor, het is jullie van harte gegund.'
Kate vroeg zich af of Bettie bewust haar erbuiten hield maar dat bleek niet zo te zijn. Toen ze naar de badkamer gingen om hun tanden te poetsen vroeg Bettie of Kate even haar pyjama uit haar kamer wilde pakken. Zonder blikken of blozen liet ze haar badjas op de grond vallen en keerde zich om naar Kate om haar pyja-

majasje aan te pakken. Je bent een kanjer, was het enige wat Kate zei.

Inmiddels was het vrijdag en was de vakantie bijna voorbij.
Aan de ene kant vonden ze dat het snel gegaan was en aan de andere kant hadden ze het gevoel hier al veel langer te zijn, een beetje tegenstrijdig dus. Ze zagen er alle vier tegenop om weer naar huis te gaan en de draad van hun leven weer op te pakken. Het was dan ook maar de vraag of ze het voornemen, hun leven een positievere draai te geven, tot uitvoering zouden brengen. Voor Bettie en Kate zou het een moeilijke klus worden waarvan de uitkomst alle kanten op kon. Sylvia en Emmy hadden het meer zelf in de hand.
Ze besloten deze dag eropuit te gaan omdat ze anders maar in hun kamer met de koffers bezig zouden zijn en de kasten leeg te halen. Daar hadden ze morgen nog tijd genoeg voor.
Ze reden wat kleine dorpjes door en liepen door de oude straatjes en rond de kerk met het plein ervoor. Het was fris maar zonnig en ze genoten van deze laatste ontspannen dag met zijn viertjes. Ze lunchten in Noord-Scharwoude en namen er heerlijk de tijd voor. Tegen vijf uur waren ze weer terug, net op tijd voor hun happy hour. Hoewel dat weer een beetje uit de tijd was hadden ze zich er in de vakantie toch met veel plezier aan gehouden.
Ze lieten zich thuis met een zucht van genoegen in hun stoel zakken. De wijn, geflankeerd door wat dure hapjes die Sylvia in een speciale winkel had gekocht, stond klaar.
'Kate hief als eerste haar glas.
'Meisjes, daar gaan jullie, het was een heerlijke vakantie waarin het woord 'vriendschap' een bijzondere betekenis heeft gekregen. A votre santé!' De glazen tikten elkaar aan en er heerste even een ontspannen stilte.
'Na het eten geven we elkaar het schilderstukje. Ik ben benieuwd hoe ze zijn geworden,' zei Sylvia en hief opnieuw haar glas.
'Anders ik wel,' grinnikte Kate die het moment vreesde dat de werkstukjes werden getoond. Ze hoopte maar dat hetgeen wat

was weergegeven niet weer een cluster aan emoties zou oproepen. Ze had er voor even haar bekomst van. Als ze eraan dacht haar pleegouders op te moeten bellen werd ze al bij voorbaat misselijk. Wat ging ze overhoop halen, ze had er geen idee van.

Ook bij Bettie speelden soortgelijke gedachten. Hier bedenken wat ze tegen Ernst zou zeggen was niet zo moeilijk maar in de praktijk zou het een stuk complexer zijn, veronderstelde ze. Maar moeilijk of niet, de scheiding zou ze hoe dan ook doorzetten. Of ze in het huis kon blijven wonen was nog maar de vraag. Het stond op hun beider naam en ze zou een aardig bedrag aan hypotheek moeten ophoesten, was ze bang. Had ze in het verleden maar meer inzicht in het financiële gedeelte van hun huwelijk gehad dan zou ze nu weten hoe ze er voorstonden. Ze had voldoende geld van zichzelf gehad om een prettig leven te leiden maar of dat in de toekomst genoeg bleek te zijn? Ze wilde dolgraag in het huis blijven wonen, en de gedachte het op te moeten geven greep haar nu al bij de keel.

'Lieverds, wat zijn jullie stil,' onderbrak Emmy alle woelige gedachten, 'wat gaat er allemaal in jullie hoofd om? Laten we er een gezellige avond van maken en alle problemen nog even opschorten. We eten vanavond restjes en ik hoop dat jullie een doos Rennies bij de hand hebben want het wordt een ratjetoe. Ik heb zoveel mogelijk op het aanrecht gezet dus we kunnen zien wat we er van gaan fabriceren. Bettie, wil jij mij assisteren?'

'Doe dat maar, Bettie, dan kun jij ons behoeden voor voedselvergiftiging,' voerde Kate aan. 'En anders kunnen we Duke laten voorproeven, hoewel, die heeft volgens mij een ijzersterke maag.'

'Ach, hoor je het, Dukie, ze willen van jou een proefkonijn maken,' Emmy knuffelde de hond die het wel aangenaam vond om zoveel aandacht te krijgen.

In korte tijd stond het bijzonder gevarieerde diner op de eettafel, samen met een smakelijk uitziende en zelfgemaakte aardappelsalade. Het werd een gezellige, drukke maaltijd en later verzamelden ze de overschotjes die tot een minimum waren teruggebracht. Duke kreeg deze keer een wat ongezonde maaltijd maar je kon je

140

geen gelukkiger hond bedenken.

Na de koffie was het zover en kwamen de werkstukjes op tafel. 'Wie begint er?' vroeg Sylvia. 'We kunnen starten met de moeilijkste of met een wat minder gecompliceerde.'

'Laten we erom tossen voor wie het eerste doek opgaat.'

Het tossen gaf veel hilariteit en helemaal eerlijk ging het ook niet zodat Bettie als eerste haar werkstukje van de andere tafel nam. 'Oké, ik heb Emmy getrokken. Ik zal eerst uitleggen wat de bedoeling is van het doekje. Emmy heeft ons van haar trieste kinder- en meisjestijd verteld. Toch heb ik niet gekozen voor die tijd, maar voor deze vakantieperiode waarin ze waanzinnig is gegroeid. Ik heb het 'herboren' genoemd.'

De basis van iedereen was een vaag schimmige ondergrond. Bettie had gekozen voor het tulpenveld wat schuilging onder de optrekkende ochtenddauw. De zon brak door de nevel en richtte zijn stralen op een enkele bloem waarvan de blaadjes net opengingen. Het fragiele figuurtje van een jonge vrouw werd zichtbaar. Het meisje strekte haar armen richting zon en hield haar handen als een kom gebogen om de kracht van het zonlicht te ontvangen. Het was een teer en ontroerend doekje geworden. Emmy kon haar tranen nauwelijks bedwingen en haar stem klonk schor toen ze Bettie bedankte.

'Prachtig, werkelijk heel mooi,' complimenteerde Kate haar. 'We houden tussen elk doekje even een kleine pauze om het te bespreken.'

Emmy nam geen deel aan het gesprek maar hield het kleinood in haar koesterende handen. Hoe kon iemand zich zo schitterend inleven in de ontwikkeling van een ander, vroeg ze zich verbaasd af. Maar ook het volgende doekje wekte grote verbazing.

Sylvia was aan de beurt en had Bettie getrokken. Ze had zoals altijd gekozen voor veel kleur. Haar ondergrond had de kleur van de aarde met overal het beginsel van wat later het uitbundige kleurenpalet van het tulpenveld zou worden. Het zag er sober en toch veelbelovend uit. Een volwassen vrouw stond met haar gelaat naar de wereld gericht. Haar kleding, open aan de voorkant, was extravagant, evenals de vrouw zelf. Haar houding straalde een sterke trots uit; ze hield haar beide handen losjes gevouwen om haar gave naakte borst. De andere kant van haar lichaam was onzichtbaar. Het was niet omdat men het niet mocht zien, nee, niemand lette erop en dat was de spirit die ze aan de wereld meegaf. Ze gaf het de naam 'kracht' mee. Het was beslist niet volmaakt geschilderd maar de boodschap was zo prachtig weergegeven dat ze er opnieuw stil van waren.

'Tjonge, jonge,' zei Kate, 'het is zo stil, jullie mogen best praten hoor. Maar oké, om niet de hele avond in de stilte van een kerk te zitten zal ik mijn stukje tonen.

Sylvia, het was voor mij niet moeilijk het onderwerp te kiezen. Ik heb het 'verlatenheid' genoemd.' Ze zette het neer zodat iedereen er zicht op had.

Het was een huis met maar twee muren en dat huis stond op een veld met geknakte tulpen die tegen de aarde lagen. Aan de ene muur was een denkbeeldig raam met gesloten terracotta gordijnen. In het midden stond een tafel met vier stoelen eromheen. Aan de andere muur stond in het midden een kachel, aan beide kanten een ingebouwde smalle kast. Het kind zat voor een van de kasten, het was zoals Sylvia het had beschreven. Het kind met de blonde krulletjes zat met grote verbaasde ogen in de lege kamer te kijken, de beer tussen haar gespreide beentjes. Ze pulkte aan een met zwart garen dichtgenaaid oog. De blote voetjes waren naar binnen gedraaid, de teentjes leken op twee kleine waaiers. Buiten was het donker met alleen de maan die de sobere kamer met een kil licht bescheen.

Uiteraard barstte Sylvia in huilen uit wat bij Kate een lichte irritatie teweegbracht. Ze vond Sylvia af en toe net een spons waar, hoe vaak je er ook in kneep, altijd wel water uit bleef lopen.

Emmy die het ongeduld waarnam vroeg om de aandacht.

'Ik ben de laatste en heb natuurlijk Kate als doelwit.' Haar zotte opmerking brak de spanning en Emmy zette haar stukje neer.

'Kate, ik heb het 'haat' genoemd, niet zo verwonderlijk dus.'

Emmy had als laatste wel een heel bijzonder onderwerp gekozen.

Het veldje had slechts hier en daar een bloem. Ze tekende altijd met een penseel en de kleur, als het al een kleur was, was zwart. In het midden van het veldje stond een knoestige grillige boom met stekels aan de takken in plaats van bladeren. De boom had het gezicht van een vrouw waarvan de scherpe trekken goed uitkwamen. Op kleine afstand van de boom stond een meisje van een jaar of twaalf in kickbokshouding. Uit haar houding sprak woede en frustratie maar het meest opvallend waren haar vuurrode bokshandschoenen die ze gebald hield om zo de geest van de vrouw aan te vallen. Het was fenomenaal knap getekend en de haat spoot er vanaf.

'Wauw, nou ben ik er stil van. Emmy, kind, je bent een kunstenares, wat ontzettend knap gedaan.' Kate bleef er in opperste verbazing naar kijken.

'Het is ook een bijzonder contrast, die vuurrode bokshandschoenen tegen al dat indringende zwart,' vond Bettie, 'ik vind dit het beste werkstuk.'

'Jongens, ik heb binnenkort weer een expositie, ik zou het een eer vinden deze stukken daar op te hangen. Ik weet er nu al een bijzonder mooi plekje voor. Wat vinden jullie ervan, of ligt het te gevoelig?'

Kate nam het kunststukje in haar handen en bewonderde nog eens de bijzondere details die er in verwerkt waren. Ze vonden het alle drie prima dat Kate de doekjes zou meenemen. De doekjes werden nog eens uitgebreid bekeken en daarna borg Kate ze zorgvuldig op.

Inmiddels was de stemming wat luchtiger en Sylvia stelde voor nog een spelletje kaart te spelen om alle indrukken te laten vervagen. Weldra klonk weer het vertrouwde gemopper over geen goeie kaart krijgen, de ander had gewoon dom geluk, en het verliep zoals bij zoveel mensen die niet allemaal even goed tegen hun verlies konden.

De volgende dag heerste er een afterpartystemming. Sylvia was al druk aan het pakken. Ook Kate en Bettie haalden alvast voor een deel de kasten leeg om hetgeen ze niet meer nodig hadden in hun koffer te doen. Emmy was met Duke weggevlucht want ze voelde niets voor een confrontatie met het geïrriteerde trio.

Sylvia stond in de deuropening van de kamer van Bettie. 'Waarom gaan we vandaag niet naar huis? Ik heb bijna alles ingepakt. We hebben niet veel eten meer en zo'n laatste dag voelt voor iedereen katterig aan. We kunnen even een stofzuiger erdoorheen halen en een doekje over het sanitair en dan zijn we klaar. Of we nou vanavond of morgen weggaan, dat maakt weinig verschil.'

'Ik weet het niet,' aarzelde Bettie, 'we hebben de sleutel tot maandag twaalf uur. Het is toch een beetje jammer om nu plotsklaps ineens op te breken. We kunnen vandaag nog iets leuks gaan doen en morgen op ons gemak de rest inpakken. We hebben er zondag de hele dag nog voor. Wat vind jij Kate?'

'Het maakt mij niet zoveel uit, Sylvia heeft wel een beetje gelijk. We voelen ons geen van allen erg vrolijk nu het afscheid dichterbij komt. Ik denk ook dat we alle vier er een beetje tegenop zien om de confrontatie aan te gaan die we onszelf hebben gesteld.'

'Ja, leuk gezegd maar wat willen jullie?' klonk het chagrijnig vanuit de deuropening.

'Syl, hoepel op naar je kamer en laat ons met rust. Ik moet de hele troep nog uitzoeken en Bettie ook. Ben jij vannacht al begonnen met inpakken?' Ze duwde Sylvia de huiskamer in en sloot demonstratief haar deur.

'Verdorie, Bettie,' klonk het door de deur, 'ik wil gewoon weten waar ik aan toe ben, dat is toch niet zo moeilijk?'

'Syl, ik vind je erg vermoeiend vanochtend. Ga in je kamer zitten mokken of ga een stuk lopen.'

'Ach, barst,' schold Sylvia en beende met nijdige passen naar haar kamer waar inmiddels Emmy ook haar rugtas op het bed had gezet.

'Allemachtig, wat een zooi, heb je je kleren vannacht in de droger later zitten? Het ziet er weer net zo vodderig uit als toen je hier kwam. Laat ik toch gedacht hebben dat er een verandering had plaatsgevonden.'

In plaats van kwaad te worden schoot Emmy onbedaarlijk in de lach.

'Het is te gek voor woorden,' hikte ze, 'iedereen gedraagt zich zoals in het begin. Weg ontroering voor de werkstukjes, weg mooi opgebouwde vriendschap, wat overblijft zijn restjes oud gedrag. Ieder van jullie staat al met één been in het gewone leven met alle sores die erbij hoort.'

'Jij dan niet?' vroeg Sylvia op een wat gematigder toon.

'Nee, ik niet. Ik vind het prima om terug naar huis te gaan. Mijn tante en nichtje plus Fabio zullen me met open armen ontvangen. De weg die ik moet gaan is er een die ik zelf moet kiezen. Daar kunnen anderen enige invloed op uitoefenen maar de beslissing ligt alleen bij mij. Jullie hebben allemaal eerst met de ander te maken, Kate net zo goed.'

'Mm, het zal wel. Maar toch zou ik het liefst vanavond vertrekken.'

Emmy nam haar bij de hand en trok haar de kamer in. Toen riep ze op luide toon de andere twee erbij.

'Waar is er brand, Em?' vroeg Bettie verschrikt.

'Foei, wat een clichématige opmerking, moeder Bettie. Jullie zijn chagrijnig en Syl zeurt als een kind, dus daar gaan we wat aan doen. Jullie gaan je mooi aankleden en gaan winkelen in Alkmaar. Er zijn best nog dingen die jullie willen aanschaffen dus doe je best. Jullie lunchen daar uitgebreid en brengen voor vanavond wat lekkers mee. Daarna evalueren we de vakantie en maken we er nog een leuke avond van. Ik blijf thuis en maak de boel een beetje schoon en daarna ga ik een lange wandeling met mijn vriend Duke maken die ik verschrikkelijk ga missen. Ingerukt mars, en wegwezen, doei doei!'

Emmy had met de nodige humor de landerige stemming op de vlucht gejaagd en uiteindelijk moesten ze toegeven wel iets te voelen voor nog een middagje Alkmaar.

Met een zucht van verlichting sloot Emmy de deur achter hen. Ze had zelf helemaal nog geen zin om al naar huis te gaan, en bovendien zouden ze dan in een vervelende stemming afscheid van elkaar nemen. En dat was het laatste dat gebeuren mocht, filosofeerde Emmy.

Haar rugtas met de gekreukte kleding zette ze bij de koffers in de berging. Het setje dat ze van de vriendinnen had gekregen hing aan de kast, dat deed ze morgen aan als ze naar huis gingen. Gewapend met de stofzuiger ging ze eerst hun eigen kamer te lijf. Ze trok het slordig opgemaakte bed van Sylvia recht en haalde alle spulletjes uit de kast en laden en zette dat netjes op het tafeltje. De weekendtas die onder het bed lag zette ze op het bed. Haar eigen spullen deed ze in een paar linnen tasjes en zette die ook alvast in de berging. Daarna waren de kamers van Kate en Bettie aan de beurt. Ook daar haalde ze alles leeg en legde de spullen op de bedden. Na al het sanitair zo goed mogelijk schoon te hebben gemaakt stofzuigde ze de huiskamer. Daarna had ze er voor even genoeg van en besloot ze met de hond uit te gaan. De keuken kwam later wel aan de beurt.

Duke holde baldadig voor haar uit en rende steeds weer naar haar terug alsof hij zich ervan wilde overtuigen dat ze er nog was. Het was een frisse maar heldere dag en ze genoot van de wind door haar haren. Ze besloot zich deze keer niet aan de bekende paden te houden maar dwaalde rond tot ze aan het bos kwam. Ook daar liep ze kriskras over de paden en zag toen tot haar verbazing op haar horloge dat het inmiddels al vijf uur was.

'Nu nog de terugweg vinden, Duke, en dat zal niet meevallen. Wijs me de weg maar!'

Duke keek haar trouwhartig aan en draaide rondjes om haar heen. 'Ja, lieverd, daar heb ik niets aan, zo komen we niet thuis.' Het duurde bijna drie kwartier eer ze weer uit het bos waren. Nu het goede pad nog vinden en dan op huis afgaan. Alles bij elkaar duurde het nog een uur eer het huis in zicht kwam. Een bezorgde Sylvia kwam haar tegemoet.

'Hemel, waar ben je geweest?' viel ze uit, 'alle bekende plekjes heb ik afgewerkt, ik was echt bang dat je wat was overkomen.'

'Sorry, Syl, we hebben gezellig lopen dwalen. Het was een prachtige wandeling hè, Dukie?'

'Ja, alles goed en wel maar had dan een briefje achtergelaten. Maar goed, het is je vergeven zoals je hebt lopen ploeteren terwijl wij ons vermaakten in de stad.'

Ze waren het huis genaderd en Sylvia opende de deur. Een opgeluchte kreet van Kate en Bettie kwam haar tegemoet.

'Je hebt ons laten schrikken, meisje,' Bettie gaf haar een knuffel.

'Ik zal Duke wel zijn eten geven, ga jij maar lekker zitten.'

'Jongens, jullie zijn lief hoor maar ik loop niet in zeven sloten tegelijk. Ik wilde nog even een keer wat verdergaan dan dat ik normaal doe. Van de geijkte paden afwijken geeft soms wel een goed gevoel. Maar hebben jullie het naar je zin gehad?'

'Ja, heel erg,' zei Sylvia met een voldaan gezicht, 'en dank zij jouw harde werken kunnen we er nog een gezellige avond van maken. Kate en ik maken de keuken wel in orde. Het ziet er allemaal voor het oog schoon uit, en dat is wel voldoende aangezien het door de beheerders wordt schoongemaakt als er andere gasten inkomen. We hebben een paar salades meegebracht en, je raadt het al, twee stokbroden, en dan nog wat kaassoorten. Wat over is kunnen we later bij de wijn verorberen. Ik ben toch blij dat we niet vandaag naar huis zijn gegaan,' gaf Sylvia ruiterlijk toe. 'Em, soms ben je wel een fantastisch meisje en dat voor jouw leeftijd,' voegde ze er plagend achteraan.

De avond ging over in de nacht eer ze hun bed opzochten. Het was een avond met een sterretje geworden waar ieder verhalen vol humor vertelde die nu eens niets met problemen hadden te maken.

De volgende ochtend waren Kate en Sylvia als eerste op om de keukenkastjes en koelkast leeg te halen. Alles wat over was werd in een doos gezet die Emmy zou meenemen. Ze dronken nog gezellig koffie en besloten elkaar onderweg te treffen voor de lunch. Dat zou dan het voorlopige afscheid zijn voor een paar weken. Pas als ze bij Bettie op bezoek gingen zouden de ervaringen uitgewisseld worden.

'Ik mis jullie nu al,' simpte Emmy tijdens de lunch, 'ook al zitten

we nu nog bij elkaar, het is niet meer hetzelfde.'
De anderen voelden het ook zo. De stemming was gemaakt vrolijk want ieder zag op tegen het afscheid nemen.

En toen was het toch zover. Ze stonden bij de auto van Bettie waar Duke uit het portierraam hing met zijn tong uit zijn bek. Ook hij voelde dat de lol over was en hij het weer met zijn eigen vrouwtje moest zien te redden. Want aan de baas had hij weinig, die had alleen maar aandacht voor zichzelf.

Emmy stond luid te snotteren toen ze afscheid nam van Duke die in die weken toch ook een beetje haar hond was geworden. 'Gelukkig hebben we de foto's nog,' snifte ze. Die uitdrukking kwam van het tv-programma *Dit was het nieuws*.

Voorbijgaand aan geluidoverlast verlieten ze luid toeterend het parkeerterrein. Ze reden nog een poosje achter elkaar maar het was zo druk op de weg dat ze elkaar al snel uit het oog verloren.

Duke lag met zijn snuit tussen zijn poten en keek droef naar het achterhoofd van zijn vrouwtje. Ze had geen radio of cd-speler aan, hij vond het benauwend stil in de wagen. Misschien als hij zacht kermde zou er iets tegen hem gezegd worden, maar zelfs toen hij het gekerm liet overgaan in een zacht maar hoorbaar geblaf gebeurde er niets. Nog een pietsje harder dan maar, het leverde alleen een snauw op dat hij zijn snuit moest houden. Zijn kop zakte verder naar beneden, hij berustte maar in zijn lot, er zat niets anders op.

Tegen de avond parkeerde Bettie haar auto voor de deur, ze zou hem later wel in garage zetten. Ernst was er niet en dat vond ze prima. Ze zag tegen de confrontatie op en die werd nu even uitgesteld. Ze draaide de sleutel om. Hè, dat was vreemd hij zat niet op het nachtslot. Ze liep terug naar de auto en liet Duke eruit. Als er onraad was had ze de hond liever bij zich. De koffer zou ze er later wel uithalen. Het was doodstil en voorzichtig opende ze de deur van de huiskamer. Ze werd begroet door een proestende Kevin en zijn vriendin.

'Tjonge, jullie laten me schrikken,' zei Bettie met haar hand tegen haar keel. 'Maar wat een heerlijke verrassing, kinderen.' Ze sloot hen in één omhelzing.

'Dat had je niet verwacht hè, moedertje? We wilden je verrassen maar je bent wel laat hoor, ik had je om een uur of drie verwacht.'

'Laat je moeder even bijkomen, Kevin.' Esther was bezig kennis te maken met Duke. Duke besnuffelde haar aandachtig en besloot dat ze er wel mee door kon. Hij gaf een poot en een lik over haar handen en rende toen naar de keuken waar al een bak met water en eten voor hem klaarstond.

'Wist pa niet dat je vandaag thuiskwam?' vroeg Kevin tijdens het koffiedrinken.

'Ja, natuurlijk wel, maar dat maakt voor hem geen verschil. Hij zal het wel weer druk hebben. De banken hebben het moeilijk in deze tijd.

Ik vind het leuk dat je met Kevin bent meegekomen, Esther. Waren jullie hier dan al zo vroeg?'

'Ik heb Esther eerst een rondleiding door jouw huis gegeven, daarna op de heide een wandeling gemaakt, en toen zitten wachten tot we je auto hoorden. Je hebt het fijn gehad hè, met je vriendinnen. Ik heb er Esther over verteld.'

'Inderdaad, het was een bijzondere vakantie voor ieder van ons. We zagen er een beetje tegenop weer in het gareel te moeten lopen. We hebben veel gepraat, en we hebben eigenlijk alle vier iets waar we aan moeten werken in de komende tijd.'

'Mm, ik kan wel raden wat jouw missie is. Het zal moeilijk worden, mam, dat is een ding wat zeker is. Zeg, Esther heeft een pan soep gemaakt, we eten er een broodje bij, is dat goed?'

'Fantastisch, je weet niet half hoe blij ik ben dat jullie er zijn, het maakt het thuiskomen een stuk plezieriger voor me.' Met een tevreden gevoel stapte ze laat die avond haar bed in. Het was onverwacht een fijne thuiskomst geworden.

Ook Emmy wachtte een gezellige thuiskomst. Zoals ze had verwacht was haar tante er en ook Fabio. En een halfuur later verscheen ook Freddie, de broer van Emmy. Ze vonden haar er allemaal heel goed uitzien en Emmy charterde Fabio meteen om een goeie kapper voor haar te vinden. Ze showde hen haar mooie outfit die ze van de vriendinnen had gekregen. Ze beloofde haar nieuwe kleding aan te trekken als ze naar de kapsalon ging. Ze vertelde dat ze niet alleen naar de kapper ging maar dat ze zich ook een nieuwe garderobe ging aanschaffen zodra ze haar salaris had aan het eind van de maand. Ze was volkomen blut ondanks dat ze de laatste dagen niets meer had hoeven te betalen. Ook had Kate, toen ze ging tanken, de benzine voor haar betaald. Met een strenge blik had ze alle protesten in de kiem gesmoord.

Haar tante was zo blij met alle veranderingen dat ze zich voornam een flinke bijdrage aan de nieuwe kleding te leveren. Emmy's nichtje Sofie vond het fijn haar kamergenote weer terug te hebben, het was saai geweest zonder haar. Sofie had genoeg vriendinnen en vrienden, maar Emmy nam toch een bijzondere plaats bij haar in. Toen iedereen weg was, voelde het weer knus zoals voorheen.

'Wat zag Freddie er goed uit,' zei Emmy tevreden, 'hij komt er wel!'

'Ja, en volgens mijn moeder schiet zijn studie flink op. Hij heeft nu een vast baantje dus dat zal voor jou ook weer schelen. Hij is gelukkig geen klaploper. Mijn moeder schuift hem vaak nog wat toe maar hij maakt er geen misbruik van.'

'We zijn ondanks alles toch een redelijk stel mensen geworden,' lachte Emmy. 'Maar ik ga maffen Sofie. Ik heb nog weinig verteld maar dat komt later wel. Gelukkig heb ik morgen nog vrij en kan ik een beetje bijkomen.'

'Ja,' zei Sofie op droge toon, 'misschien kun je dan wat aan die vodden doen die uit je rugtas kwamen.'

Er klonk een gesmoorde lach vanonder het dekbed uit. 'Vast wel, Sofie, slaap lekker.'

Voor Kate was de thuiskomst een koude bedoening. Niemand die haar opwachtte. Ze had ook niet anders verwacht want niemand had een sleutel van haar appartement. Bovendien had ze geen bijzondere vrienden of vriendinnen buiten het schildersclubje. Ze schonk zichzelf een glas sherry in en zette haar koffer in de zijkamer. De tas met de schilderstukjes legde ze voorzichtig op het bureau in haar werkkamer.

Daarna nam ze haar sherry mee naar de badkamer en liet het bad vollopen. In de deuropening luisterde ze naar de berichten op haar antwoordapparaat. De binnengekomen e-mails bekeek ze morgen wel. Na het bad liep ze naar de slaapkamer en sloeg het bed open. 'Welkom thuis, Kate, fijn dat je er weer bent, we hebben je gemist,' zei ze bitter tegen haar spiegelbeeld.

Nerveus stak Sylvia de sleutel in het slot en stapte naar binnen. Ze wist eigenlijk niet wat ze moest verwachten. Frits was doorgaans geen type dat haar met een hoera binnenhaalde. Geen van de kinderen was er en dat stelde haar enigszins teleur.

'Hallo, zwerver, wist je je huis nog te vinden?' Frits kwam de hal in en begroette haar met een kus. Een zucht van opluchting ontsnapte haar.

'En, heb je het gezellig gehad met de tuttenclub?' Het klonk een beetje smalend maar niet echt hatelijk. 'Wil je koffie of iets te eten? Ik heb ook nog niets op dus ik kan wel een omelet met toast maken.'

'Ja, lieverd, lekker! Ook koffie graag.'

Niemand kon zo'n smakelijke omelet fabriceren als Frits. Tijdens het eten praatten ze wat over de kinderen. Ze zouden morgen komen en blijven eten. Ze wilden met zijn allen komen, dat vonden ze gezelliger. Of mams wel wat bijzonders bij de catering wilde bestellen.

Sylvia gaf aan moe te zijn en wilde vroeg naar bed, maar eerst nam ze haar dagelijkse poedelbad, zoals Frits het noemde. Ze was verbaasd dat Frits al in de slaapkamer was en zich uitkleedde. Verlangde hij naar haar of alleen naar het hebben van seks?

Neuriënd maakte Sylvia de volgende dag het ontbijt klaar. Ze was volkomen uitgerust en dat was ook aan haar te zien. Frits had een vrije dag genomen en samen ontbeten ze op hun gemak met de krant ernaast. Er was sprake van een tevreden harmonie. Of het blijvend was, daar durfde Sylvia nog niet op te hopen. Ze hadden gevreeën, en of het door haar lange afwezigheid kwam of niet, het was voor haar een redelijk succesvol gebeuren geweest. Frits was deze keer niet, zoals Duke, direct op zijn bak eten afgegaan. Bij die gedachte schoot ze in de lach en herinnerde zich de zotte opmerking van Emmy. Nee, hij had voor het eerst in lange tijd het verlangen met haar gedeeld. Inwendig grinnikte ze om de idiote vergelijking maar in wezen was het wel zo. Ze hoopte dan ook maar dat Frits die veranderde houding zou doorzetten, zodat ze daardoor misschien een opening kon vinden om écht met hem te praten.

Die avond kwamen de kinderen en er heerste een gezellige maar luidruchtige stemming aan tafel. En egoïstisch als de jeugd vaak was hadden ze slechts terloops gevraagd of ze het leuk had gehad. Na een paar dagen verviel Frits af en toe weer in zijn oude gedrag maar Sylvia had goede hoop hem op een dag duidelijk te kunnen maken wat haar dwars zat.

Ernst was inmiddels ook thuisgekomen. In tegenstelling tot Frits vroeg hij niets over de vakantie, merkte alleen op dat het tijd werd dat ze haar plicht als gastvrouw weer opnam. Ze wachtte echter niet de tijd af, zoals Sylvia, maar vatte de tweede avond meteen de koe bij de horens.

'Waar het tijd voor wordt, Ernst, is dat we eens moeten praten. Of eigenlijk: ik praat en jij luistert, we draaien de zaken deze keer om.'

'Hoor, hoor, mijn vrouw heeft een assertiviteitstraining onder-gaan, aangevuurd door nog een paar van die mutsen. Barst los mijn kind en laat horen wat je zoal hebt geleerd,' spotte hij met ogen als rapieren.

Hij vond het beslist niet aangenaam Bettie op zo'n vastberaden toon te horen praten. Hij hoefde weinig fantasie te hebben om zich een voorstelling te maken hoe er over hem was geroddeld, en over die arme Frits van Sylvia. Hij had hen een enkele keer ontmoet en hij vond Sylvia een lekker wijf. Die andere twee had hij niet de moeite waard gevonden om over na te denken. De een was nog een kind, een slons van een meid, en die ander was zo'n ijspegel geweest dat hij er rillingen van had gekregen. Een raar bij elkaar geraapt zooitje vond hij.

'Ik wil van je scheiden en wel op korte termijn,' viel ze direct met de deur in huis. 'Ik heb mijn advocaat al gebeld en hij stuurt me de papieren op. Ik raad je aan ook een telefoontje naar je advocaat te plegen,' klonk het koel.

'Zo, zo, wil jij van me scheiden, en op grond waarvan denk je dat te kunnen doen?' Ernst bekeek haar met grove minachting. Maar hoe stoer hij ook deed, Bettie zag dat zijn neusvleugels zich steeds verwijdden, een teken dat hij gigantisch in zijn eer was aangetast en bovendien woest was.

'Ach, Ernst, wat val je me nu toch tegen,' zei ze smalend, 'je moet toch beter weten. Ik ben je vrouw al jaren niet meer, dat is al reden genoeg om van je te scheiden. Ik ben inderdaad je gastvrouw geweest en nog onderbetaald ook. Ik heb jouw geld nooit nodig gehad. O ja, je betaalde de dure etentjes en nog duurdere drankjes maar ja, die declareerde je onmiddellijk. Je mag wel oppassen, declaraties indienen is een hot item op het moment. En hoe gaat het in het bankwezen?'

'Jij rotwijf, hoe durf je zo'n toon tegen me aan te slaan. Ik heb er voor gezorgd dat je al die jaren een luxueus leven kon leiden. Eigen geld, poeh, net genoeg als kledinggeld. En om even terug te komen op je aantijging geen echt huwelijksleven te leiden…'

'Pas op, vriend, met wat je gaat zeggen. Je verlaat dit huis onmiddellijk als je je gore en denigrerende opmerkingen niet voor je houdt. Je hebt je als een ploert gedragen al die jaren en ik ben echt niet bang voor je als je dat soms denkt. Mijn advocaat is al jaren op de hoogte van je onsmakelijke gedrag ten opzichte van mij. Ik verfoei mezelf dat ik niet eerder een scheiding heb aangevraagd. Ik was laf en had geen zin in al die rompslomp. Maar het speelde al heel lang door mijn hoofd, het was slechts het juiste moment afwachten.'

'En dat is het nu, ach, kind, laat me niet lachen. Wat versta je eigenlijk onder het juiste moment?'

'Het is niet alleen om je weinig menselijke houding naar mij toe na mijn operatie. Je hebt je in zaken gemengd die het daglicht nauwelijks kunnen verdragen. Je speelt een gevaarlijk spel waarvan de afloop niet te voorspellen valt. Het is voor jou te hopen, Ernst, dat het je niet je kop zal kosten.'

'Hoe kom jij aan die informatie, Bettie,' hij stond op en kwam dreigend op haar af. Ook Bettie stond op. Ze stonden als twee kemphanen tegenover elkaar en geen van beiden gaf toe.

Ergens diep van binnen voelde Ernst voor het eerst een sprankje bewondering voor zijn vrouw maar dat verwierp hij direct. Ze mocht geen vat op hem krijgen, daar zou hij wel voor zorgen. Ze wist kennelijk iets té veel, dat was duidelijk. Hij had alleen geen idee waar ze de informatie vandaan had gehaald. Toch voelde hij op dit moment dat de grond onder zijn voeten wel eens te heet zou kunnen worden. Hij zag bovendien aan haar gezicht dat ze nog niet alles had gezegd. Een ogenblik vroeg hij zich af of ze daar tijdens de vakantie over had gesproken. Hij vroeg haar ernaar. Maar met stelligheid beweerde ze dat niet te hebben gedaan. En vreemd genoeg geloofde hij haar. Ook Kevin wist van niets, daar was hij eveneens van overtuigd. Hij had zich schromelijk in Bettie vergist, dat bleek nu wel. Hij was weer gaan zitten en stak een sigaret op. Hij wist dat ze er een hekel aan had, maar ze had hem nooit zover gekregen dat hij in de tuin zijn sigaretje rookte, het idee alleen al.

'Ik weet niet wat je verder nog aan informatie hebt gekregen, maar ik waarschuw je met klem er niets van naar buiten te brengen. Het zou wel eens heel vervelend voor je kunnen worden en dat wil je toch niet hè?'

Ze wist dat hij blufte, hij wilde haar bang maken. Ze verweet hem zijn criminele gedrag op het gebied van zakendoen, maar hij zou nooit zover gaan haar naar het leven te staan.

Ze keek hem spottend aan toen ze zei: 'Ik lek niets naar buiten, Ernst, zolang jij je houdt aan wat ik je nu zeg. Ik wil dat je het huis verlaat, voorgoed wel te verstaan. Regel je eigen zaakjes, maar betrek mij er verder niet in. En ik zou maar oppassen als ik jou was.'

Ernst besefte maar al te goed dat het waar was wat ze zei. Hij kon voor zijn eigen veiligheid maar beter maken dat hij wegkwam. Het was verduiveld jammer dat ze zoveel wist, nu kon hij het huis en zijn huwelijkse staat niet langer als dekmantel gebruiken. Hij stond op en ging naar boven om zijn koffer te pakken.

Even later hoorde Bettie de deur slaan en een auto starten. Ze slaakte een diepe zucht. Gelukkig had hij niet in de gaten gehad dat ze voor een deel had gebluft. Maar Jensen, haar advocaat, had haar aangeraden het op die manier te spelen. Uiteraard wist Jensen veel meer dan dat hij had losgelaten. Het had weinig zin, vond hij, haar nog ongeruster te maken. Wel was het woord fraude gevallen en hoe erg Ernst had gefraudeerd had Jensen in het midden gelaten. Maar met de summier gegeven informatie wist ze dat het om een ernstige zaak ging.

Ze belde hem even later op om te vertellen hoe het was gegaan. Ze had het er prima afgebracht, zei hij, maar ze moest proberen haar leven er niet al te veel door te laten beïnvloeden. Ook zei hij dat ze bij hem terecht kon als ze vragen had, en natuurlijk voor de afwikkeling van de scheiding.

Toch kon ze een gevoel van dreiging niet van zich afzetten. Het leek haar beter even naar Kevin te bellen. Ze wilde hem voor zover nodig was inlichten, maar niet telefonisch natuurlijk.

'Mam, ik kom naar je toe en blijf slapen. We kunnen de dingen beter op een rijtje zetten en dan ben je vannacht niet alleen.'

'Ik was al bang dat er iets gaande was,' zei Kevin toen hij was gearriveerd en ze aan de koffie zaten. 'Ik vond hem er slecht uitzien. In jouw vakantie zijn we een paar keer samen wezen eten. Ja, daar kijk je van op hè? Maar omdat ik het niet helemaal vertrouwde ben ik op zijn uitnodiging ingegaan. Ik vond hem broodmager en hij had een enge, fanatieke blik in zijn ogen. Hij probeerde aardig te zijn maar de verbeten trek om zijn mond kreeg hij niet weg. Ik voelde voor het eerst iets van medelijden met hem. In wat voor wespennest heeft hij zich in hemelsnaam gestoken.'

Bettie vertelde in korte bewoordingen wat er vanavond was gebeurd, en ook wat ze van Jensen had gehoord. 'Dat hij er slecht uitziet is mij op een vage manier ook opgevallen. Maar ik had het zo druk met hem te overtuigen dat ik wist waarmee hij bezig was, dat ik daar verder niet op gelet heb.' Even drong zich een schuldgevoel aan haar op maar Kevin ontzenuwde dat onmiddellijk.

'Houd daar mee op, mama, voor mij ligt het heel anders dan voor jou. Hij is geen beste vader geweest maar hij heeft me ook niets aangedaan. Ik ga Duke uitlaten en dan gaan we slapen.'

Bettie had tegen haar gewoonte in de lamellen al helemaal gesloten. Ze wachtte tot ze Kevin hoorde terugkomen voor ze naar boven ging.

'Sluit je goed af, jongen? En welterusten dan maar, morgen praten we verder.'

'Truste, mam, en maak je geen zorgen, bewaar dat maar voor als het echt nodig is!'

Zolang Kate met haar werk bezig was kreeg ze niet de kans na te denken over wat ze van plan was: haar pleegouders bellen. Ze bleef zolang mogelijk in de kunsthandel en was in haar kantoor bezig een expositie te regelen voor een jonge kunstenaar. Maar iedere avond brak toch de tijd weer aan dat ze naar huis moest. Pas een week nadat ze was thuisgekomen had ze de moed hen te bellen. In haar hart was ze bang dat ze haar kortaf te woord zouden staan. Maar gelukkig was dat niet het geval. Haar pleegouders hadden altijd veel begrip gehad voor haar moeilijke karakter.

Er werd een afspraak gemaakt voor het weekend erop. Met een opgelucht gevoel schreef Kate de datum in haar agenda.

Voor haar gemoedstoestand was de week veel te snel gegaan. Aan de ene kant verlangde ze ernaar en aan de andere kant zag ze enorm op tegen het weekend.

Op vrijdagavond pakte ze wat kleding in een weekendtas en vertrok richting het noorden na eerst een grote bos bloemen te hebben gekocht. Het was lang licht en dat vond ze een stuk prettiger rijden. Onderweg dronk ze ergens een kop koffie en kocht een paar sandwiches.

Tegen negenen arriveerde ze op de plaats van bestemming. Haar pleegmoeder stond voor het huis op haar te wachten.

'Nou dag, lieve meid, dat is een tijd geleden,' zei ze in het dialect van de streek. 'Kom gauw binnen, vader heeft de koffie klaar.'

Kate had eigenlijk liever nog een uurtje buiten gezeten. De tuin was vol bloemen en even verderop was een kleine boomgaard. Maar ze wist dat boerenmensen niet zo graag buiten zaten. Ze waren uiteindelijk al een groot deel van de dag in de buitenlucht.

'Welkom, kind,' zei haar pleegvader rustig en gaf haar een hand. 'Kom zitten en vertel ons of je een voorspoedige reis hebt gehad.'

Kate voldeed aan zijn verzoek en een uurtje werd er zo maar wat gebabbeld over van alles en nog wat. Ze zagen er gezond uit en dat deed Kate erg goed, want ze voelde zich toch wel schuldig omdat ze zo weinig van zich had laten horen.

'Je bent hier met een doel hè, kind, dat hadden we al begrepen. Niet dat je niet welkom bent zonder een reden, hoor!' haastte Siem zich te zeggen en hij keek zijn vrouw verontschuldigend aan. Die schudde haar wijze hoofd.

'Je bent altijd zo rap van zeggen,' mopperde ze, 'laat het kind even tot zichzelf komen.'

Kate grinnikte even om dat 'kind' dat ze in hun ogen nog steeds was.

'Ik heb spijt jullie zo in de steek te hebben gelaten,' zei ze moeilijk. 'Het is hier zo heerlijk en zo rustig. Het fijnste deel van mijn leven heb ik hier op jullie boerderij doorgebracht.' Even later vroeg ze hoe het met hun kinderen ging. Trots deden ze verslag en Kate vond het heel vertederend zoals ze over hun kinderen en kleinkinderen vertelden.

'Moeke Maartje,' leidde Kate haar moeilijke vraag in, 'ik ben hier om eindelijk iets te weten te komen over het kind wat ik heb gekregen.'

Ze vertelde over de vakantie met haar vriendinnen en hoe ze alle vier een probleem hadden waar ze geen raad mee wisten. Siem en Maartje luisterden aandachtig en vielen haar niet één keer in de rede. Kate had al ervaren dat het geboren luisteraars waren. Ze stelden geen onnodige vragen maar lieten de ander vertellen.

'Ik ben nu eindelijk zover dat ik niet meer wil weglopen voor hetgeen er toen is gebeurd. Maar jullie weten dat ik geen erg gevoelig en emotioneel persoon ben dus vergeef me als ik wat zakelijk reageer in jullie ogen.'

Maartje legde liefkozend haar hand over die van Kate. 'Het is goed, liefje, we begrijpen het wel.'

Siem stak omslachtig een pijp op toen zijn vrouw begon te vertellen.

'Het was een jongen, Kate, een flinke gezonde knul van bijna acht pond.' Vandaar dat ik zo geschreeuwd heb, dacht Kate, die zich een ogenblik de paniek en de pijn herinnerde.

'Hij is nog twee dagen in de kliniek gebleven want de adoptieouders waren op dat moment het land uit. Zo kon ik er zelf nog even van genieten,' zei ze zacht. 'Ik had hem het liefst zelf geadopteerd maar Siem, en hij had gelijk, vond dat geen goed idee. We waren jouw pleegouders en als de jongen bij ons zou zijn zagen we jou niet meer. Hij heet Peter. Ze wilden hem geen boerennaam geven want zijn afkomst was anders. Grappig genoeg is hij wel met een boerenmeisje getrouwd, Elke, en ze hebben twee kinderen, Dirk en Aagje.'

'Hemel,' klonk het verschrikt uit Kates mond, 'wat een afgrijselijke namen.'

'Dat dachten we al,' grijnsde Siem en trok vergenoegd aan zijn pijp, 'maar het zijn dan ook boerenkinderen.'

Toen stelde Kate de vraag die haar al een tijd bezighield en waar ze tegelijkertijd bang voor was om het antwoord dat ze zou krijgen.

'Heeft hij ooit naar mij of naar zijn biologische vader gevraagd?'

'Daarin moet ik je helaas teleurstellen, Kate. Je weet dat ik altijd een goed contact met de adoptieouders heb onderhouden en we veel over alles hebben gesproken. Ik heb het haar ook een paar maal gevraagd. Maar nee, hij had een vader en een moeder en dat was voor hem genoeg. Hij voelde er niets voor om zoveel gedoe op zijn hals te halen, had hij gezegd. Zijn biologische moeder moest hem niet, nou, en een paar deuren verder hadden ze wel belangstelling voor hem...

Toen hij een jaar of acht was hebben zijn adoptieouders met hem gepraat en verteld dat hij niet hun eigen zoon was. Hij reageerde er laconiek op want zo jong als hij was had hij al gemerkt anders te zijn.

Zelf heb ik nog geen kennis met hem gemaakt want ook dat wilde hij niet. Wat zijn ouders met ons bespraken ging hem verder niet aan. Natuurlijk is het evengoed je kop in het zand steken maar het was uiteindelijk zijn eigen keus.'

'Ik heb mijn kop nog verder in het zand gestoken dus ik kan hem moeilijk iets kwalijk nemen. Ik hoef hem ook niet te ontmoeten, moeder, wat ik nu weet is genoeg. Hij is gezond, heeft een gezin en is kennelijk dol op zijn ouders. Dat is voor mij voldoende. En als het in de toekomst toch een rol gaat spelen zien we wel weer verder. Nog één vraag, wonen ze hier in de buurt? Ik vraag dat zodat, als ik morgen een wandeling wil gaan maken, ik hem niet toevallig tegen het lijf loop.'

'Nee, kind, ze wonen zo'n honderd kilometer hier vandaan. Hij woont vlak bij zijn adoptieouders.'

'Dan hebben we het ergste nu gehad en kan ik van mijn bezoek aan jullie gaan genieten.'

'Wil je niet een paar foto's zien van hem en zijn gezin?' vroeg Maartje voorzichtig.

'Misschien morgen, moeder, maar voor nu heb ik genoeg gehoord. Ik wil nog wel zo'n heerlijke, grote mok koffie. Ik vind jullie koffie nog altijd het lekkerst.'

Het werd een genoeglijk weekend en er werd niet meer over Peter gesproken. Kate bewonderde alles op de boerderij en vooral de lammetjes in de wei vond ze vertederend.

'Wat is het toch heerlijk om zoveel ruimte om je heen te hebben,' Kate stak haar arm door die van Maartje en rustig kuierden ze voort. 'Geen haast, geen stress, wat een verademing.' Diep zoog ze de frisse lucht in haar longen, al waren er in die frisse lucht wel wat afwijkende geuren te bespeuren. Er was een paar dagen ervoor gegierd.

'Peter heeft een mooi stel paarden want zijn vrouw geeft paardrijles aan kinderen tot twaalf jaar. Verder hebben ze veel schapen en wat akkerbouw. De akkerbouw levert niet veel op maar de schapen wel. Bovendien hebben ze aardig wat geiten, en Elke maakt haar eigen kaas.'

Kate hoorde het aan maar reageerde er niet op. Pas toen ze op het punt stond af te reizen liet Maartje haar wat foto's zien. Peter was een flinke, blonde vent met een paar heldere blauwe ogen die dwars door je heen keken. Tenminste, dat was de indruk die Kate kreeg. Hij leek in geen enkel opzicht op haar en dat zei ze ook tegen Maartje.

'Het is misschien vreemd, maar hij roept niets bij me op. Hij is een volkomen vreemde voor me en er is ook geen enkele gelijkenis.'

'Nee,' zei Maartje wat verdrietig. 'Je hebt gelijk, uiterlijk hebben jullie niets gemeen. Nou, kind, een goede reis dan maar en we hopen snel weer iets van je te horen.' Maartje gaf haar een stevige zoen op beide wangen en de tranen schoten Kate in de ogen. Hoe had ze die lieve mensen zo kunnen verwaarlozen. Ze nam zich dan ook stellig voor een nauw contact te houden. En dat gebeurde dan ook. Siem stond voor het raam met de onafscheidelijke pijp in zijn mond en zijn handen diep in de zakken gestoken. Hij vond Kate een lief maar eenzaam meisje.

Op de terugweg was het rustig op de weg en zelfs rond de grote steden was het niet overmatig druk. Ze had de hele weg naar muziek geluisterd om niet te hoeven nadenken over het afgelopen weekend. Maar eenmaal thuis kwam ze er niet onderuit en spookten er delen van de gesprekken die ze met Siem en Maartje had gehad door haar hoofd. Ze haalde haar mobiel uit haar tas en stuitte toen op een envelop. Natuurlijk, foto's, ze had het kunnen weten. Maartje nam geen genoegen met haar koele en zakelijke reactie op de foto's die ze had laten zien. Ze vond dat Kate er wat meer mee moest doen dan er een vluchtige blik op werpen. Kate legde de envelop op haar bureau in haar werkkamer en sloot de deur. Berichten en dergelijke zou ze morgen wel bekijken en beluisteren. Voor nu was het wel genoeg geweest. Ze hoefde de volgende dag pas in de middag weg om naar een locatie te gaan kijken voor haar expositie. Daar kwamen ook de vier doekjes te hangen van de vriendinnen. Ze was blij niemand verteld te hebben dat ze het weekend naar het noorden zou gaan, zo hoefde ze ook niets uit te leggen.

HOOFDSTUK 7

'Hoi, Syl,' Emmy nam er haar gemak van en legde haar voeten op de rand van de tafel. Ze had zin om lang met Sylvia te bellen. 'Hoe is het met je, al weer een beetje gewend aan het dagelijks leven?'

'Ja, dat gaat wel, maar hoe is het met jou, Em, leuk dat je even belt. Kate heeft wel gezegd dat we pas als we bij Bettie zijn ergens over mogen praten, maar dat vind ik eigenlijk onzin.'

'Dat waren ook mijn gedachten vandaar dat ik je bel. Kijk, zij hebben een moeilijk probleem op te lossen, voor ons ligt dat toch wel anders.'

'Heb je wat te doen vanavond, Em, kom anders hierheen. Frits is bridgen dus ik ben alleen.'

'Op zaterdagavond? Wat onvriendelijk voor de niet bridgende vrouwen.'

'Het is een toernooi of zoiets. Heb je zin om te komen, het is nog vroeg genoeg.'

'Oké, ik kleed me even om en kom dan jouw kant op.'

'Nee maar, Em, wat zie je er prachtig uit!' riep Sylvia enthousiast toen ze de deur voor haar opendeed. 'Je haar, gut, kind, laat me je eens goed bekijken, prachtig die halflange bobstijl. Het laat je gezicht mooi uitkomen, net als ik je toen al zei. En wat staat deze kleding je magnifiek, ik ben trots op je.'

'Fijn, Syl, dat je er zo over denkt, maar mag ik nu naar binnen?'

'Sorry, kind, kom maar gauw.' Ze sloeg een arm om haar schouders. 'We kunnen ook in de tuin zitten als je dat leuker vindt.'

'Gezellig, Syl, ik heb jullie best gemist, vooral in het begin. Gaat het wat beter tussen jou en Frits?'

'Mm, de eerste week wel, toen zakte het weer een beetje af naar het 'alleen ik'-niveau. Ach nee, dat is niet helemaal waar; er zit best wel wat verbetering in. We praten meer dan vroeger en hij heeft ook wat meer belangstelling voor mijn doen en laten,' zei ze eerlijk. 'Maar tot een echt gesprek, waar we het tijdens de vakan-

tie over hadden, is het nog niet gekomen.'
'Heeft hij opgemerkt dat je je niet meer als een paradijsvogel kleedt en opmaakt?' vroeg Emmy grinnikend. Want inderdaad, Sylvia zag er goed uit maar niet meer zo extravagant als voorheen. Aan het eind van de vakantie had ze al een begin gemaakt zich wat minder opzichtig te kleden.
Sylvia schoot in de lach: 'Ja, dat heeft hij en het beviel hem een stuk beter. Ik durf je nu een zoen te geven zonder dat ik daarna onder de douche moet van al die make-up die je afgeeft.'
'Lekker complimenteus, maar wel geinig. Je bent volgens mij ook wat afgevallen.'
'Je gelooft het of niet maar ik kook tegenwoordig zelf. Alleen als er bezoek komt, of er komen zakenlieden over de vloer, dan bel ik de catering. Frits keek de eerste keer met glazige ogen naar zijn bord waar een eenvoudige karbonade op lag met bloemkool en gebakken aardappelen. Toen keek hij mij aan en zei: 'Syl, liefje, wat hebben ze met je gedaan daar waar de tulpen bloeien? Ik val van de ene verbazing in de andere. Eerst je kleding en afgeschraapte make-up en nu zomaar een Hollandse maaltijd op mijn bord. Ik moet er eens goed over nadenken of je dezelfde Sylvia wel bent.'
Ik heb natuurlijk hard gelachen want het was echt komisch. Maar uiteindelijk kon hij het wel waarderen en zijn we een aantal kilo's kwijtgeraakt als gunstige bijkomstigheid. Alleen de kinderen zijn er niet over te spreken want die eten door de week al zo eenvoudig vanwege hun mager budget. Dus als zij komen verwen ik hen maar een beetje extra. Maar nu wil ik horen hoe het jou is vergaan.'
'Ja, het gaat wel goed. Op mijn werk bekeek iedereen me met verwondering maar ook met enthousiasme. Ze vonden het een hele verbetering en vooral mijn haarstijl. Fabio is met me meegegaan naar de kapsalon van een van zijn vriendjes en heeft daar de nodige instructies gegeven. Je lacht je dood als je die gasten onder elkaar hoort praten, ze meten zich dan echt een eigen taaltje aan en passen er ook hun houding en bewegingen bij aan. Het is echt

een spel dat ze opvoeren. Verder zijn hij en mijn nichtje meegegaan om kleding te kopen. Mijn tante had een leuk envelopje
meegegeven. Die avond zijn we met zijn allen uit eten geweest,
mijn tante was er natuurlijk ook bij. Freddie, die het weekend
overkwam, wist niet wat hij zag.'

'Voel je je nu wat vrijer in de omgang met mensen?'

'Je bedoelt natuurlijk mannen,' veronderstelde Emmy lachend.

'Onder andere,' gaf Sylvia kalm toe. Ze liet zich niet om de tuin
leiden door haar zorgeloos gebabbel. Ze herinnerde zich nog goed
het verdriet en de paniek op de avond toen ze haar dat nacht T-
shirt cadeau had gedaan. 'Ik neem aan dat ook de vaders van de
kinderen hun kroost komen ophalen. Zolang je over hun kinderen
kunt praten zal het geen problemen geven neem ik aan.'

Het bleef even stil en Emmy keek naar de kat van de buren die
over het hek wilde klimmen.

'Ik miste Duke bijna nog erger dan jullie,' probeerde ze het heikele onderwerp te ontwijken. Wat een leuke kat zeg, doet hij zijn
behoefte niet in je tuin?'

'Nee, Em, hij heeft thuis gewoon een kattenbak. Ik heb nog nooit
iets van hem gevonden en mijn plantjes staan er beslist welvarend
bij. Maar daar hadden we het niet over,' berispte ze haar jonge
vriendin.

'Ik blijf het moeilijk vinden, Syl. Ik probeer hen tegenwoordig
recht aan te kijken als ik tegen ze praat, maar vaak voel ik dat ik
kleur en dat maakt me dan weer onzeker.'

'Het is een groei waar je doorheen moet,' suste Sylvia, 'en ik
begrijp best dat het niet altijd meevalt.'

'Er is één vader die me wat meer aandacht schenkt, dat was al
voor de vakantie. Hij is weduwnaar en heeft een schat van een
zoontje van drie. Het is echt al een sociaal manneke.'

'Goh, en dat zo jong, wat een triest iets, Em, weet je ook waar ze
aan is overleden?'

'Ja, ze kreeg een bloeding na de bevalling. Dat schijnt af en toe te
gebeuren en de bloeding was niet te stelpen. Dat heb ik niet van
hem gehoord maar van een collega. Ik vroeg namelijk waarom

zijn moeder hem nooit ophaalde en toen vertelde ze het. Ik vond het heel erg want het valt als alleenstaande vader niet mee om een kind in je eentje op te voeden. Zijn zus schijnt vlakbij hem te wonen en die vangt het kind op als hij er niet is. Het is gelukkig een goede regeling waar het kind niets door tekort komt. Die zus heeft zelf twee wat grotere kinderen.'

'Maar…?' Sylvia keek haar vragend aan.

'Ja, wat maar? Er is niets tussen ons hij praat alleen wat meer met mij.'

'Oké, Em, ik zal niet doorvragen als je dat niet wilt. Maar ik merk wel aan je dat je wat dwarszit, dat kun je toch niet ontkennen?'

'Nee, dat doe ik ook niet,' zei ze zacht. 'Ik vind hem erg aardig, Syl, en hij mij ook, dat merk ik aan hem. Maar wat moet ik? Ik ben nog niet zover dat ik eraan toe wil geven dat ik gevoelens voor hem heb.'

'Dat begrijp ik. De verandering moet langzaam groeien, maar ik hoop dat hij genoeg geduld bezit. Mannen zijn over het algemeen niet zo geduldig.'

'Dat is dan jammer, Syl, ik ben niet van plan iets te gaan forceren, dan loopt het voor mij alleen maar uit op een terugval, en dat wil ik voorkomen. Ik geef toe dat het me meer bezighoudt dan ik eigenlijk aankan. Het is verwarrend, bah!' Het kwam er zo hartgrondig uit dat Sylvia in de lach schoot. 'Sorry, Em, ik lach je niet uit maar het klonk zo komisch en tegelijkertijd dramatisch. Probeer wel met iemand over je gevoelens te praten, sluit je niet op in jezelf want dan kom je er niet uit. Ik sta altijd tot je beschikking wanneer je wilt praten, al is het midden in de nacht.'

'Je bent een schat, Syl. Je bent de eerste waar ik het aan vertel. Mijn nichtje is een lieve meid maar die huppelt zo vrij door het leven dat ze het misschien niet eens zou begrijpen. Maar nu over iets anders, hoe zouden de andere twee het maken? Ik ben heel erg benieuwd, jij niet?'

'Ja zeker. Voor Kate is het helemaal een klus. Zou ze al weten of ze een zoon of een dochter heeft en hoe hij of zij heet? Het lijkt me zo'n vreemde gewaarwording na al die jaren er wat over te horen.'

'Vooral omdat Kate zo'n koele kikker is.'

'Of lijkt, je bent die wanhoopsuitbarsting toch nog niet vergeten? Als je zoveel jaren al je gevoel wegsluit is het moeilijk het los te laten. Zelfs toen ze jouw doekje bekeek bleef ze er uiterlijk koel onder. Ze vond het prachtig en fenomenaal gedaan maar er kwam geen enkele emotie bij kijken.'

'Nee,' zuchtte Emmy, 'het zal een harde dobber worden in haar geval. Dan blijft onze Ernst over, zou Bettie hem al gedumpt hebben?'

'We roddelen nu, Em,' giechelde Sylvia. 'Maar ik hoop van harte dat ze het heeft aangedurfd. Wat moet ze zich al die jaren beroerd hebben gevoeld met zo'n egoïst in huis. Daar is mijn Frits een lieverdje bij.

Wat ook best vreemd is, is dat we niet meer naar schilderles gaan. De cursusleider vond het niet fijn dat hij vier mensen kwijtraakte. Maar ja, het is net wat Bettie zei: na deze vakantie hebben we het niet meer nodig als ontmoetingsplaats.'

'Dat is zo, en volgens Kate moeten we ons zelf ontwikkelen in deze vorm van kunst, de basis is immers aanwezig bij ons alle drie.' Ze bootste de stem van Kate na en deed dat heel goed zodat Sylvia weer in de lach schoot.

Tegen middernacht reed Emmy in een opperbeste stemming naar huis. Ze bleef nog even lui op de bank zitten in het licht van een klein lampje. Met een tevreden gevoel overdacht ze de gesprekken die ze met Sylvia had gevoerd. Er was voor ieder van hen nog aardig wat te doen.

En zo brak de dag aan dat ze weer bij elkaar kwamen in het huis van Bettie. Sylvia nam een paar dozen met heerlijke hapjes mee uit haar wagen en bovenop de dozen lag een prachtige bos dieprode rozen. Emmy en Kate waren er al en ze begroetten elkaar alsof ze een jaar waren weggeweest. 'Meisjes, wat heerlijk jullie weer te zien,' glunderde Bettie, 'ik heb zo naar deze dag verlangd.'

'Anders wij wel,' zuchtte Emmy. 'Maar we zijn er en er komt een verrukkelijk geurtje vanuit de keuken. Wat heb je voor lekkers gemaakt?'

'Hé, smulpaap, doe even rustig aan.' Kate bekeek haar met een tevreden blik: 'Wat zie je er schitterend uit, Em. Ik wist wel dat er een mooie vlinder uit de rups zou kruipen als de tijd daar was. Vooral je haarstijl, het past precies bij de lijnen van je gezicht. Je hebt een prachtige kaaklijn en ook je ogen komen helder en mooi uit, ze hebben goed werk verricht.

Syl, jij ziet er ook goed uit en hoeveel ben je afgevallen?'

'Wat een complimenten allemaal,' lachte Bettie die met een blad met koffie en gebak de kamer inkwam.

'Pak even aan, Kate, anders schiet het blad dadelijk uit mijn handen, het is een beetje zwaar beladen.'

'Mm, je hebt jezelf weer overtroffen, chocoladesoezen met slagroom, en een chocoladelikeur, Syl, daar gaat je lijn!' Kate hief de schotel met gebak in haar richting.

'Ik heb niet gelijnd kinderen maar ik kook tegenwoordig zelf.'

Een hoera voor Syl klonk spontaan op.

'Maar,' zei Kate voorzichtig, en ze boog zich naar Sylvia toe, 'wat in die dozen zit heb je toch niet zelf gemaakt, hoop ik!'

'Een homerisch gelach volgde op die opmerking. Zoveel vertrouwen hadden ze kennelijk niet in haar kookkunst.

'Maak je maar niet bezorgd,' klonk het onaangedaan, 'ik kijk wel uit om daar bij jullie mee aan te komen. Wacht maar af en je zult merken dat het een ware culinaire tongstreling is wat ik heb meegebracht. En hoe zit het met jou, heb je wat hoofdpijnwijnen meegenomen?'

De plagerijen vlogen over en weer en tot aan de lunch werd er niet over ernstige zaken gesproken. Emmy had de menukaarten op een veilig plekje neergelegd, ze zou ze straks op de borden zetten. Ze waren heel leuk geworden vond ze zelf.

Bettie dekte de tafel in de eetkamer en Emmy hielp haar daarbij.

'Gezellig, hè?' genoot Bettie en ze gaf haar jonge vriendin een hartelijke kus. De tafel was prachtig gedekt met ouderwets, glanzend damast, zilver bestek en kristallen glazen. Het porseleinen servies met een enkel groen takje was nog van de ouders van Bettie geweest. De gedekte tafel was een streling voor het oog en de zilveren kandelaar met de zachtroze kaarsen paste er perfect bij. Bettie had de lamellen een stukje dichtgedaan voor het effect van de brandende kaarsen op deze zonnige dag.

'Mooi, Bettie, het ziet er koninklijk uit.' Emmy legde de menu-kaarten op de damasten servetten en met de armen om elkaar heen bekeken ze het resultaat. Bettie had voor een lichte bouillon gekozen en daarna als tweede voorgerecht voor een zalmmousse. Met stralende ogen namen ze plaats aan de prachtig gedekte tafel en keken de menukaart in.

'Je hebt jezelf weer overtroffen, Em,' zei Kate ernstig, 'ook hiervan heb je weer een kunstwerkje gemaakt.'

Ze stond op en hief haar glas: 'Bettie en Sylvia dank voor deze exquise lunch, en Bettie je weet nog echt de grandeur van een prachtig gedekte tafel in ere te houden.'

'Kate, ik ben maar een eenvoudig meissie, mag het ook in gewoon Nederlands?' Natuurlijk wist Emmy de betekenis ervan wel, maar het werd haar een beetje te bar dit toch wel enigszins overdreven gedoe.

Sylvia proestte in haar servet en de anderen lachten hartelijk mee.

'Jij weet een delicate sfeer wel grondig de nek om te draaien,' berispte Kate de ondeugende Emmy maar ze kon er de humor wel van inzien.

Na de lunch sloot Bettie de deur van de eetkamer. 'Ik ruim straks wel op, daar heb ik nu geen zin in.'

'Ik blijf wel een uurtje langer,' stelde Emmy voor, 'en dan help ik je wel, het is onzin dat jij met de troep moet blijven zitten.'

Ze hadden weer in de huiskamer plaatsgenomen en Duke mocht ook weer van de partij zijn tot groot genoegen van Emmy.

'Nou,' zei Bettie en keek het kringetje rond, 'wie begint te vertellen wat er in de afgelopen weken is gebeurd. Misschien moet ik zelf de spits maar afbijten. Ernst is weg, volgens Kevin zit hij in New York. Hij mailt af en toe naar zijn vader om een beetje op de hoogte te blijven want het gaat niet goed met hem en ook niet met datgene waar hij mee bezig is. Er zit een vies luchtje aan zijn manier van zakendoen. Achteraf is gebleken dat hij mij en het huis als dekmantel gebruikte om zo zijn duistere praktijken te verdoezelen. Mijn advocaat heeft me over een en ander ingelicht. Maar dat was maar het topje van de ijsberg. Jensen vond het beter dat ik niet te veel wist, dat was veiliger. Voor Ernst naar New York vertrok heeft hij de scheidingspapieren ondertekend. Zijn en mijn advocaat hebben uiteraard een nauw contact met elkaar.'

'Vertrok hij zomaar zonder protest?' vroeg Kate ongelovig en met opgetrokken wenkbrauwen. 'Daar lijkt hij mij niet echt het type voor!'

'Ach, zonder protest... Ik liet hem weten dat ik van veel dingen op de hoogte was en ik waarschuwde hem niet te ver te gaan. Ik ga het gesprek niet herhalen, maar hij begreep dat het spel met mij, als de vlag die de lading dekte, voorbij was. Ik hoorde tot mijn verbazing van Jensen dat hij het huis al twee jaar daarvoor op mijn naam had gezet. Als er wat misging konden ze daar niet aankomen. Verder waren we niet in gemeenschap van goederen getrouwd. Ik had zelf een aardig sommetje op de bank staan dus maakte ik me daar ook niet druk om. Ook hoorde ik nu,' ze lachte er schamper bij, 'dat hij al acht jaar een relatie heeft in Amerika. Dus al vóór mijn operatie.

Het is dus eigenlijk voorspoedig gegaan, ware het niet dat Kevin en ik een bepaalde dreiging voelen en die wordt steeds sterker. Uit welke hoek het komt weet ik niet, en ook niet de aard van de dreiging. Kevin is die bewuste avond naar me toegekomen en heeft een aantal nachten hier geslapen. Ik weet evenmin of die dreiging met mij en Kevin heeft te maken. Het is meer een onbestemd gevoel van onbehagen.

Overigens, toen ik thuiskwam van de vakantie waren Kevin en zijn vriendin hier als welkomstverrassing. Dus, kinderen, dit is in grote lijnen wat er hier is gebeurd.'

'Allemachtig, dat is heftig,' reageerde Emmy geschrokken. 'Ik weet niet wat ik hierop moet zeggen.'

'Ik evenmin,' zei Sylvia aangeslagen. 'Het lijkt het tv-journaal wel!'

Kate zat nadenkend voor zich uit te kijken, het beviel haar absoluut niet wat Bettie vertelde. Ze vroeg zich af in hoeverre Betty zelf gevaar liep. Het was zo'n doorgedraaide wereld en zeker in deze economische en financiële crisis. Iemand naar het leven staan was zeker geen uitzondering. Het lag er maar aan wat Ernst had uitgespookt, en met welk geld en van wie? Als het een kwestie van fraude was waar alleen de banken bij betrokken waren, dan was het nog te overzien en ging het alleen Ernst aan. Ze besloot een nauw contact met Bettie, maar ook met Kevin te onderhouden.

'Oké,' nam Sylvia het woord: 'Mijn ervaringen zijn gelukkig minder schokkend. Frits was er de avond van mijn thuiskomst en het was de eerste week eigenlijk heel gezellig. We hebben wat meer met elkaar gepraat maar erg diep is het nog niet gegaan. Hij gedraagt zich erg rustig en geniet geloof ik toch wel van de huiselijke sfeer die er nu is. De eerste keer dat ik hem een gewone maaltijd voorzette vielen zijn ogen haast uit zijn hoofd. Maar zowel de maaltijden als mijn manier van kleden en opmaken stelt hem wel tevreden.

Alleen waar het me echt om gaat is nog niet aan de orde gekomen. Van de week ging het wel weer mis. Het is echt niet zijn schuld, het is gewoon iets in mijzelf. Hij lag rustig te slapen, heel ontspannen eigenlijk. Hij snurkt heel zachtjes en dat houdt me normaal niet uit mijn slaap. Ik werd weer overvallen door dat rotgevoel en kreeg het benauwd. Ik wil dan mijn bed uit en het liefst buiten in de tuin gaan staan. Ik ging wel uit bed en ben op het deksel van het toilet in de badkamer gaan zitten. Langzaam ging ook mijn hoofd weer gewoon aanvoelen en doordat ik het koud kreeg viel ik daarna redelijk snel in slaap.'

'Toch niet op het toilet, hoop ik?' klonk het droog uit de mond van Kate. 'Syl, ik denk nog steeds dat het iets met je moeder heeft te maken. Heb je je nooit verzet als ze weer eens met je wilde pronken? Heb je nooit gezegd dat je bijvoorbeeld die idiote strikjesjurk niet aan wilde... Je werd soms op school uitgelachen en gepest toen je wat ouder werd, en dat was toch echt de schuld van je moeder.'

'Ik weet het niet, Kate, het is allemaal zo verwarrend. Mijn moeder heeft een armoedige jeugd gehad waar nooit geld was voor iets bijzonders. Ik denk dat ze haar leven lang heeft gedroomd over de voor haar onbereikbare dingen. Ze heeft me als een levende pop gezien waar ze trots op was en waar ze mee kon pronken. Ik had dat al vroeg begrepen maar wilde de droom voor haar niet verstoren. Ik hield van haar. Later begreep ik dat mijn vader zich er wel tegen heeft verzet, want er was best veel ruzie. Ik wist toen alleen nog niet dat het over mij ging. Mijn vader kreeg, door haar bezitsdrang, weinig kans wat met mij te ondernemen. Maar onbewust was hij toch mijn plechtanker waar ik terecht kon als ik me ongelukkig voelde. Mijn moeder liep dan met rood behuilde ogen door het huis en dan had ik weer medelijden met haar. Het was eigenlijk een rare situatie. Gek genoeg komen er steeds meer beelden naar boven uit die tijd. Soms lopen die beelden door elkaar en heb ik moeite er wijs uit te worden.'

'En ik dacht dat alleen mijn moeder gek was,' Kate trok een grimas. 'Maar wat je vader voor je betekende heb je later wellicht onbewust op Frits geprojecteerd, en die kon natuurlijk niet aan dat beeld voldoen?'

Sylvia dacht diep na. 'Dat zou best kunnen, daar heb ik uiteraard nooit bij stilgestaan. Ja, dat zou best kunnen, Kate.'

'En misschien is dat ook de reden geweest dat Frits zich geestelijk en ook lichamelijk van je terugtrok,' ging Kate verder, 'het kan hem onbewust benauwd hebben.'

'Gut, het idee! Ik was in de eerste jaren van ons huwelijk wel een klit, een octopus, zoals hij me vaak noemde. Ik vond het heerlijk met mijn armen en benen om hem heen te liggen, niet voor de seks maar voor de geborgenheid denk ik.'

'En beetje bij beetje duwde hij je terug en won terrein voor zichzelf.'

'Kate, je bent een kei, ik was daar echt nooit zelf opgekomen. Zo zie je maar dat als je het vanuit een andere gezichtshoek bekijkt het er ineens anders uit gaat zien. Ik denk dat ik hier ook wel met hem over kan praten. Bedankt, joh! Het schiet me nu te binnen dat Emmy in de vakantie ook iets in die richting heeft gezegd. Zij noemde het verlatingsangst, omdat ik me door iedereen in de steek gelaten voelde.'

'Oké, mijn beurt,' zei Emmy die het allemaal wat lang vond duren. 'Ik ben blij voor je, Syl, dat het nu wat duidelijker voor je wordt. Het is echt een eyeopener.

Met mij gaat het bergopwaarts. Kleding en haren zijn een grote vooruitgang. Bijgestaan vooral door Fabio. Op een ander gebied is er ook wat gaande. Een vader van een van de kinderen ziet wel wat in mij. Voor de duidelijkheid, hij is weduwnaar. Ik vind hem ook de moeite waard maar het verleden blijft opspelen. Ik durf nog niet aan mijn gevoel toe te geven want ik ben gewoon nog steeds hartstikke bang. Ik weet ook niet hoe ik het ooit aan hem moet vertellen. Niemand weet er nog vanaf, want dan zou ik zoveel goede raad krijgen dat het alleen maar tegenwerkt. Ik moet daar zelf een oplossing voor zoeken en dat is niet eenvoudig. Hij heeft me gevraagd om een keer samen iets te gaan eten. Zijn zoontje kan dan bij zijn zus slapen die vlakbij hem woont. Ik heb ja gezegd al ben ik als de dood zo bang, maar ik doe het wel. Ik weet dat als ik het niet doe, ik mijn eigen geluk en mijn toekomst vergooien kan, en dat wil ik niet. Verder kan ik nog niets zeggen over hoe ik me zal voelen als hij dichterbij komt, als ik zijn geur ruik en zijn adem voel. Dat zijn dingen die ik moeilijk uit mijn systeem krijg. Jullie begrijpen wel wat ik bedoel.' Het klonk weer benauwd en angstig.

Bettie trok haar even dicht tegen zich aan. 'Ook voor jou geldt: praat er met ons over zodat wij je misschien een beetje op weg kunnen helpen.'

Emmy knikte stilletjes en keek toen naar Kate die zich weer terugtrok achter een onzichtbare muur.

Kate zuchtte en voelde een grote weerstand in zich opkomen tegen hetgeen ze nu van haar verlangden.

Bettie had het in de gaten en stond op om voor de koffie te gaan zorgen, Emmy hielp haar daarbij terwijl Sylvia naar het toilet ging. Niemand wilde samen met Kate achterblijven op dat moment.

'Sorry, jongens,' zei ze even later, 'ik verviel weer even in mijn oude fout.' Ze nam een slokje van haar koffie en hield het warme kopje als troost in haar beide handen.

'Ik heb een fijn weekend bij mijn pleegouders gehad. Ze namen het me gelukkig niet kwalijk dat ik zo lang niets heb laten horen. Het zijn echt fantastische mensen. Om me nu bij de voornaamste feiten te houden: ik heb een zoon, Peter heet hij. Peter is getrouwd en heeft twee kinderen. Hij lijkt totaal niet op mij, er is geen enkele gelijkenis te vinden. Mijn pleegmoeder had wat foto's in mijn tas gestopt die ik thuis pas zag. Vlak voordat ik naar huis ging heeft ze me namelijk die foto's laten zien.'

'Heb je ze bij je?' vroeg Bettie nieuwsgierig.

'Ja, maar ik weet niet of ik ze aan jullie wil laten zien. Jullie gaan dan toch zoeken naar een gelijkenis en dat heb ik liever niet. Later misschien.'

'Lijkt hij dan op zijn biologische vader?'

'Sylvia, al gaf je me een miljoen, ik zou echt niet meer weten hoe die knaap er destijds uitzag, ik heb zelfs nooit zijn naam geweten.'

'Goeie genade, wat een boze tiener al niet voor ellende over zich heen kan halen,' vertwijfeld haalde Sylvia haar schouders op. 'We zijn wel een lekker stel zeg, dokter Phil zou er van smullen.'

Ze schoten in de lach, die gekke Sylvia altijd met haar tv-sterren. 'Maar wat vond je van de jongen als persoon?' liet eindelijk Emmy zich horen. 'Voelde je dat het je kind was?' stelde ze de vraag die de anderen niet durfden stellen.

'Je vraagt naar de bekende weg, Em, nee natuurlijk niet, dat had je toch niet van mij verwacht neem ik aan. Het is een aardige knul om te zien, blond kort geknipt haar en helblauwe ogen. Een forse knaap. Ik heb nu iedere week even contact met mijn pleegouders maar ze dringen me gelukkig niets op, en dat moeten jullie ook niet doen. Als er ooit verandering in komt zijn jullie de eerste die het horen. Maar nu even dit! Ik stel voor dat we elkaar geregeld bellen of bij elkaar op bezoek gaan, hartstikke leuk. Maar ik wil niet dat er iedere keer gevraagd wordt hoe het gaat en of ik al meer interesse toon in het gezin. Er zijn honderd en een dingen waar we over kunnen praten en die we allemaal leuk vinden. Dat geldt ook voor jullie onderling. Laat het verleden zijn werk doen in het heden, maar laat het niet steeds het onderwerp van gesprek zijn. Heb je iets bijzonders te melden dan is het wat anders. *By the way*, als laatste, ik heb geen contact met mijn vader gezocht en dat wil ik voorlopig ook niet doen. Nou, meiden, we zijn weer helemaal op de hoogte en nu wil ik het over iets anders hebben, de expositie waar onze doekjes komen te hangen. Jullie zijn vanzelfsprekend uitgenodigd, je krijgt daar nog bericht over.'

In de maanden die volgden op het bezoek bij Bettie gebeurde er genoeg om het probleemkwartet bij elkaar in de belangstelling te houden. Ze zagen elkaar geregeld en ook het e-mail- en telefoonverkeer bloeide lustig.

Emmy was inmiddels met Tom, de vader van Tobias, een paar keer uit eten geweest, en ze was ook bij hem thuis geweest. Beetje bij beetje nam ze hem in vertrouwen en daar was hij heel blij mee. Hij had natuurlijk wel gemerkt dat haar iets dwarszat al kon hij niet bevroeden dat het zo ernstig was. Na haar bekentenis had hij haar naast zich op de bank getrokken en zijn armen vast om haar heen geslagen. De huilbui die daardoor loskwam betekende voor haar de grote doorbraak. Ze hadden uren met elkaar gesproken en daarna leerde hij haar hoe het kon zijn in een relatie waar liefde en tederheid de hoofdrol in speelden. De eerste die ze daarover inlichtte was moeder Bettie.

Stralend omarmde Emmy haar oudere vriendin die tranen in haar ogen kreeg van blijdschap. 'Wat zie je er mooi uit, mijn kind. Kom gauw zitten en vertel hoe het allemaal is gegaan, alleen als je wilt, natuurlijk.'

Emmy had geen aansporing nodig. 'Tom is zo'n schat, Bettie, ik

voel me echt veilig en geborgen bij hem. Je weet dat ik grote moeite had er met hem over te praten omdat ik me op een dwaze manier er ook nog steeds wat schuldig over voelde. Hij is een man van deze tijd en heeft zelf het nodige meegemaakt. We hebben uren gepraat en ik voelde me daarna volkomen leeg. We hebben toen een hele tijd alleen maar stil tegen elkaar aangezeten. Ook hij moest het uiteraard verwerken en het een plaatsje geven. Hij dringt zich totaal niet aan me op en laat het van mij uitgaan.'
'Dat is natuurlijk heel lief en begripvol, maar durf je nu ook zelf initiatief te nemen?' Bettie streek haar liefdevol over haar hoofd. 'Maar nu ga ik eerst even een broodje klaarmaken en koffiezetten. Het is prachtig najaarsweer, vind je niet. Je kunt nog heerlijk buiten zitten.'
Emmy liep de tuin in die er nog steeds weelderig uitzag. Ze genoot van de bloeiende stokrozen in allerlei kleuren, maar ook van de najaarsbloemen, de asters en dahlia's. Ze snoof de pittige geuren op en ging toen op de bank zitten. Bettie had een prachtige tuinset aangeschaft, een grote bank en twee diepe stoelen met vrolijke kussens erin. Je zat er net zo comfortabel als op de bank in de huiskamer.
'Mooi hoor, dit luxe tuingebeuren,' zei Emmy toen Bettie de tuin weer inkwam, 'gelukkig heb je er ook de ruimte voor. Ik geniet toch zo van het uitzicht op de heide die al betoverend kleurt. Hé, Dukie lieverd, waar was je nou?'
Een onstuimige begroeting volgde, ze hadden elkaar gemist. 'Duke heeft een beetje lopen schooieren hier achter en heeft je kennelijk niet gehoord.' Bettie zette het blad op de tafel. 'Tast toe, lieverd. Nee, jij niet, veelvraat!' ze kon nog net het broodje redden wat Duke van de schaal wilde pikken. Ze gooide het een eind weg en hij holde er enthousiast achteraan. 'Zo heeft hij toch zijn doel bereikt,' lachte Emmy, 'de stouterd.'
'Zeg dat wel, hij wordt steeds brutaler.'
'Of jij steeds toegefelijker. Duke is een heel wijs hondje, hij weet precies tot hoever hij kan gaan.'
Emmy nam een broodje en zette er haar tanden in.

175

'Mm, daar was ik wel aan toe. Mijn nichtje heeft een aantal vriendinnen op bezoek en het was een gekakel dat wil je niet weten. Ik was blij te kunnen ontsnappen maar had daardoor nog niet gegeten.'

'Ik moet altijd lachen om al die moderne uitdrukkingen, jij bent de enige waar ik die van hoor.'

'En Kevin, hoor je van hem en zijn vriendin niet de woorden 'vet' en 'cool' en al die termen? Moet je soms de sms'jes op de mobiele telefoon lezen, er is af en toe geen touw aan vast te knopen.'

'Ja, daar hoor ik Kevin wel eens over, maar dat soort fratsen zijn aan mij niet besteed. Heb je voor vandaag nog met Tom afgesproken?'

'Nee, hij is het weekend met Tobias naar zijn ouders die een grote stacaravan hebben in Limburg. Tobias vindt het altijd heel spannend als hij er mag logeren. Er is zoveel voor de kinderen te doen, die vermaakt zich daar wel. Hij heeft er zelfs een aantal vriendjes. Tom wilde dit weekend zijn ouders over mij vertellen en omdat kleine potjes al jaren grote oren hebben wil hij Tobias niet in de buurt hebben.'

'Ik neem aan dat Tom niet alles aan hen vertelt?'

'Nee, natuurlijk niet, dat blijft tussen ons tweeën. Waar ik wel moeite mee heb is met de ouders van Tom zijn overleden vrouw. Het is relatief nog maar zo kort geleden. Ze hebben er nog steeds erg veel verdriet van. Toch wil hij ze niet onkundig laten over onze relatie.'

'Dat kan ik me ergens wel voorstellen, maar hij kiest nu voor jou. Komt hij nog geregeld bij haar ouders?'

'Ja, hij wil dat Tobias een goede band met ze houdt. Ik heb er ook geen probleem mee als hij met hem over Kittie praat waar ik bij ben. Het kind moet opgroeien met het besef wie zijn moeder was en hoe ze eruitzag. Ik vind dat heel belangrijk voor zijn ontwikkeling. Hij vindt mij erg lief en is blij als ik kom en dat vind ik voorlopig genoeg.'

'Wijs meisje,' zei Bettie lief. 'Maar zonder dat ik onbescheiden wil lijken, is jullie relatie al op het cruciale punt aangekomen?'

'Je bedoelt,' grinnikte Emmy ondeugend, 'of ik al met hem naar bed ben geweest. Ja, moeke Bettie, en het beviel me wel.' Ze lachte nu voluit. 'Ben je nu ineens zo preuts geworden of vergis ik me? In de vakantie hebben we alles toch wel aardig bij de naam genoemd.'

'Ja, ach, het ligt voor jou wat gevoeliger en daar houd ik rekening mee.'

'Je bent lief hoor, ik maakte maar een grapje. Weet je, ik houd het meest contact met jou en Sylvia, met Kate heb ik nog steeds een beetje moeite. Op die expositie was ze bijna een vreemde voor me. Soms denk ik dat ze spijt heeft ons betrokken te hebben bij haar leven.'

Bettie knikte bevestigend: 'Ik denk het ook en dat is jammer. Van ons vieren blijft ze toch het meest afstandelijk. En dat is op zich vreemd want in de vakantie was ze toch echt een van ons.'

Ze praatten nog wat over die tijd, en over Kate die het beslist moeilijk had sinds ze wist van het bestaan van haar zoon.

'Kom een keer een weekend logeren als Tom er niet is,' stelde Bettie voor toen ze afscheid namen, 'dan hebben we wat langer de tijd en kunnen we ook nog wat leuks gaan doen.' Ze gaf Emmy een kus en keek haar met vertedering na. Wat was ze blij met deze ontwikkeling voor het lieve kind.

Emmy voelde zich op de terugweg wat schuldig omdat ze niet had gevraagd hoe het met Bettie ging, en of er al iets bekend was over Ernst.

Bettie had haar niet veel kunnen vertellen, het was erg rustig rond Ernst, en Kevin had weinig of geen contact met hem. De scheiding was er door en wettelijk had Bettie niets meer met Ernst te maken. Het had haar verbaasd dat hij in het verleden nooit de hypotheek had verhoogd, vooral toen het geld een grote rol ging spelen. Het deel van de hypotheek dat nog betaald moest worden kon Bettie zelf opbrengen, ook al omdat hij een behoorlijk bedrag op haar persoonlijk had vastgezet. Ze had haar verwondering uitgesproken naar haar advocaat, want financieel had hij goede regelingen voor haar getroffen. Jensen had er weinig op gezegd. Bovendien lag er een brief voor haar in de kluis die opengemaakt diende te worden als Ernst onverwacht iets zou overkomen. Ook zou Bettie dan recht hebben op zijn levensverzekering, mits hij niet onder verdachte omstandigheden het leven liet, en dat was nog maar de vraag.

Vlak voor kerst belde Kate met de vraag of ze een van de dagen samen ergens konden gaan eten. Haar pleegouders waren die dagen bij hun kinderen dus had ze daar geen verplichting aan. Bettie vond het prima en ze spraken af voor tweede kerstdag. Kate zou de reservering doen en in de ochtend naar haar toekomen.

Eerste kerstdag waren Kevin en Esther bij haar en ze vond het heerlijk hen die dag bij zich te hebben.

Het zou nog kunnen dat Emmy van de partij was omdat Tom ook zijn verplichtingen had, en hij de eerste dag door de ouders van Kittie was gevraagd. Emmy had het prima gevonden, ze wilde niet dat hij zich verlegen voelde met de situatie omdat hij niet bij haar kon zijn. Ze had inmiddels kennisgemaakt met zijn ouders en was voor de tweede kerstdag uitgenodigd. Maar niets stond nog helemaal vast, maar dat was voor Bettie geen probleem, ze kookte toch altijd voor een heel weeshuis en zeker met die dagen.

Kevin en Esther woonden inmiddels samen en zij konden rekenen op een goed gevulde tas als ze naar huis gingen.

En zo was de eerste kerstdag voor Bettie een hoogtepunt geworden. Zowel Emmy als haar nieuwbakken schoondochter zaten aan de kerstdis, en moeder en zoon keken elkaar over de feestelijk gedekte tafel met veel voldoening aan.

'Je weet zoals gewoonlijk de grandeur van dit toch zo bijzondere feest een lichtpunt te laten zijn in de donkerste dagen van het jaar,' deed Emmy met een nuffig gezicht Kate na.

'Em,' proestte Bettie,' schaam je om onze Kate zo na te doen.'

'Ach, mam, laat dat kind toch, en ze heeft ook nog gelijk. Je imiteerde haar voortreffelijk, Em. Maar alle gekheid op een stokje, het is een best mens.'

Hij wist dat Kate geregeld contact had met zijn moeder en ook met hem, om zo op de hoogte te blijven of er bijzonderheden waren rond de handel en wandel van zijn vader. Kevin waardeerde dat erg in haar.

De volgende dag stond Kate om elf uur bij Bettie voor de deur. Ze had een prachtig kerststuk bij zich dat ze op het haltafeltje zette om eerst haar vriendin te begroeten.
'Je ziet er goed uit, Bettie, en daar ben ik blij om. De rust die er in je leven is gekomen doet je goed. Heb je een fijne dag gehad gisteren? Ik hoorde dat Emmy ook is geweest, het gaat voorspoedig met onze benjamin. Ze heeft haar draai gevonden en Tom lijkt me een redelijke kerel.'
Bettie liep naar de keuken en kwam terug met alles voor de koffie en zette het op de salontafel.
'Mm, dat ziet er weer heerlijk uit,' verlekkerde Kate zich, 'ik ben toch blij dat ik nooit om mijn lijn hoef te denken. O, sorry, Bettie,' ze keek even met een schuldig gezicht naar haar vriendin, 'ik bedoelde er niets mee naar jou toe, maar dat weet je wel.'
'Verontschuldig je maar niet, Kate, ik val gelukkig nog steeds wat af. Wat spanning en stress allemaal teweeg kan brengen. Het was gisteren inderdaad een fijne dag. Esther is ook echt een lieverdje en daar bof ik weer mee. Je moet trouwens de hartelijke groeten hebben van Sylvia, die is met Frits een paar dagen naar Londen. Hun kinderen hadden allerlei feestjes en vonden het prima niet op te hoeven draven.'
'Ja, het gaat met goed ons groepje,' klonk het tevreden.
Kate nam een stukje Engels kerstgebak van de schaal en legde dat op een bordje. 'Zelf gemaakt zeker, wat ben je toch een kei!'
'En, hoe gaat het met jou, Kate?' vroeg Bettie belangstellend, 'gaat het met jou ook zo goed?'
'Och, eigenlijk wel. Ik heb een kerstkaart van Peter gekregen.'
'Hé, wat een verrassing, je had dat zeker niet verwacht? Want je vertelde dat hij er geen prijs op stelde contact met jou op te nemen.' Bettie was blij verrast voor haar vriendin en dat zei ze haar ook.

'Nee, dat vertelde mijn pleegmoeder tenminste. Misschien is het onder druk van zijn vrouw gebeurd, vrouwen reageren meestal anders op die dingen. Ik heb lang geaarzeld een kaart terug te schrijven.'

'Waarom, Kate? Het kan toch een nieuw begin betekenen voor jullie allebei. Je hoeft hem toch niet meteen aan je hart te drukken. Het is alleen maar een begin.'

'Dat weet ik wel, maar volgens mijn pleegmoeder is hij nu wel bereid me een kans te geven, en die uitspraak stuit me enorm tegen de borst. Ik hoef niet vergeven te worden door hem, ik voel me evenmin schuldbewust. Mijn karakter laat dat niet toe, ik heb ook geen idee wat voor beeld hij van me heeft. Ik heb mijn pleegmoeder gevraagd een foto van mij te laten zien. Hopelijk is hij intelligent genoeg om bij het zien van die foto te begrijpen hoe ik in elkaar steekt. Hij heeft namelijk ook contact gezocht met mijn pleegouders. Ik moet zeggen dat dit niet mijn bedoeling was.'

'Nee, Kate,' klonk het scherper dan dat Bettie bedoelde, 'je hebt daarin alleen aan jezelf gedacht, net als je dat destijds hebt gedaan. Het gaat alleen om jou, wat jij denkt, wat jij voelt, of meer wat je niet wilt voelen.'

'Hallo zeg, mag het een tandje minder? Het is kerst hoor, vrede op aarde, weet je wel?'

Ze schoten allebei in de lach.

'Ik begrijp je wel, Betje, en ik had ook geen andere reactie van je verwacht. Maar ik heb er wel moeite mee, het gaat me te snel! Hij heeft mijn pleegouders een bezoek gebracht, en volgens Maartje mogen we uiterlijk niet veel van elkaar weg hebben maar qua karakter wel. Hij heeft ook iets onverzettelijks over zich dat ze herkende. Dat kan bij een eventuele ontmoeting leuk worden. Ach, misschien is het dan ook weer gelijk einde verhaal.'

Bettie keek haar onderzoekend aan: 'En is dat wat je wilt, een eenmalige ontmoeting?'

'Ach, weet ik veel, ik zie wel als het zover is.'

'Maar ben je er in je hart blij mee, Kate, het is toch best wel bijzonder om na al die jaren je zoon te leren kennen. En dan heb ik het nog niet over je kleinkinderen,' zei ze zacht. Zelf zou ze zielsblij zijn zo'n kans te krijgen in die omstandigheden. Maar ja, ze waren zo verschillend, en dan is het moeilijk de ander volkomen aan te voelen.

'Misschien heb je wel gelijk, Bettie, maar het idee dat het me ook gelijk tot oma bombardeert trekt me een stuk minder moet ik zeggen.'

'Grootmoeder Kate, wat zet je grote ogen op…' grinnikte Bettie plagerig. 'Ach, ik kan het me ook wel voorstellen, het valt je een beetje rauw op je dak. Heb je nog wat van je ouders gehoord? Wat zouden zij ervan zeggen als ze het wisten.'

'Waarom zou ik wat van ze horen? Voor zover ik weet heeft mijn broer zijn mond erover gehouden, want ik heb hem voor kerst nog even gebeld. Harro vond het in ieder geval een veelbelovende ontwikkeling, en hij wenste me alle goeds toe. Hij was ineens zo begripvol, dat ben ik niet van hem gewend.'

'Nee, Kate,' zuchtte Bettie, 'heb je hem ooit de kans gegeven anders over je te denken? Ook naar hem toe heb je je altijd koel en afstandelijk opgesteld. Je bent een echt 'mens' aan het worden en daar ben ik heel blij om. Wil je nog koffie?' vroeg ze toen plompverloren.

'Hè, ja graag, Bettie,' klonk het wat afwezig, ze vond de hele ontwikkeling tamelijk benauwend. Je zegt A maar dat wil niet zeggen dat je dan gelijk het hele alfabet erachteraan wilt.

'Weet je dat ik schilderles geef aan kinderen tot twaalf jaar op woensdagmiddag,' veranderde Bettie van onderwerp, 'ik doe dat in het buurthuis. Ik vind het hartstikke leuk en wil het in de toekomst nog wat uitbreiden. Het buurthuis vangt de jeugd op die op de woensdagmiddag geen onderdak heeft omdat de ouders werken. Het zijn kinderen uit een achterstandswijk en ik moet zeggen dat het veel voldoening geeft. Ik bak ook wel eens iets lekkers dat ik dan meeneem. Ik denk erover een eenvoudige kookcursus te geven aan de wat oudere kinderen. De leiding heeft me dat gevraagd. Ik heb gezegd dat ik niet al te gebonden wil zijn, maar van tevoren zal aangeven als ik een keer niet kan. Dat vonden ze prima want ze zijn blij met alle hulp.'

'Leuk, Bettie, echt iets voor jou. Maar het is langzamerhand tijd om naar het restaurant te gaan.'

Echt Kate, dacht Bettie teleurgesteld, ze is volkomen ongeïnteresseerd in wat ik vertelde. Vrijwillig iets voor anderen doen ligt absoluut niet in haar lijn.

Onderweg naar het restaurant bleef het stil in de wagen en Kate, die wel begreep dat ze Bettie tekort had gedaan, legde even een hand op haar arm.

'Sorry, Bettie, je weet dat dat soort dingen me nu eenmaal niet zo trekken. Ik heb die instelling niet, maar het is goed dat ze niet allemaal zo zijn want dan zou de wereld verarmen. En verder veins ik nu eenmaal geen dingen die ik niet voel.'

'Het is goed, Kate, maar misschien kan het geen kwaad eens wat verder te denken dan je eigen wereldje,' klonk het kortaf.

Kate trok zich haar terechtwijzing toch wel aan, getuige haar volgende uitspraak: 'Je hebt ongetwijfeld gelijk, Bettie, maar ik kan er voor mezelf weinig bij voorstellen. Ik ben zo niet opgevoed.'

'Nee, Kate, dat ben je niet, maar daar kom je me iets te veel mee aanzetten. Het pleit je niet vrij van egoïsme. Emmy is ook zo niet opgevoed maar je kan moeilijk van haar zeggen dat ze niet sociaal bewogen is.'

'Nou, er blijft niet veel van me heel vandaag, je wordt bedankt, Bettie. Ik kan me overigens niet aan de indruk onttrekken dat het ten opzichte van jullie toch wel anders ligt.' Ze was behoorlijk in haar wiek geschoten en haar stem klonk een tikkeltje onvast. Ze was dit niet gewend van de altijd zo vriendelijke Bettie.

'Daar heb je gelijk in, Kate,' haar stem had weer de warmte zoals voorheen. 'Je hebt me de afgelopen tijd erg geholpen en ook Kevin, en daar ben ik je dankbaar voor. Ik bedoel het ook niet zo onaardig als dat het misschien bij jou overkwam. Maar je hebt zoveel goede kwaliteiten op allerlei gebied dat nu nog braak ligt. Als je die aan zou boren zou je er veel voldoening aan kunnen beleven.'

'Je praat in raadsels, Bettie, en die moet je me maar een keer uitleggen maar niet nu, nu gaan we feestelijk eten.' Ze stak haar arm door die van Bettie en samen liepen ze het restaurant binnen.

Het nieuwe jaar deed zijn intrede. Voor de vriendinnen brak een tijd vol veranderingen aan.

Een van de belangrijkste gebeurtenissen was dat er een eind kwam aan het dreigende gevoel dat Bettie al maanden boven het hoofd hing.

Het was eind februari toen Bettie werd opgeschrikt door een bericht dat ze kreeg. Kevin en Esther waren bij haar toen twee rechercheurs in burger bij haar aanbelden. Ze stelden zich voor en legitimeerden zich. Bettie liep trillend op haar benen voor hen uit naar de huiskamer. Daar nam ze plaats op de bank naast Kevin en Esther die haar verschrikt aankeken.

De twee mannen trokken een stoel bij.

'Sorry, mevrouw, dat we u slecht nieuws komen brengen. Uw man is in New York verongelukt. Hij is met zijn auto van de weg geraakt en in het water terechtgekomen. De bandensporen gaven een te hoge snelheid aan en waarschijnlijk is hij daarbij de macht over het stuur verloren. Ze hebben hem pas de volgende dag gevonden. Het was namelijk in een gebied waar gewoonlijk weinig verkeer rijdt, en zeker niet in de nacht. Wat precies de oorzaak is van het ongeluk weten we nog niet, daar wordt uiteraard onderzoek naar gedaan.'

Bettie had zich inmiddels wat hersteld en keek de beide heren met een vragende blik in haar ogen aan. Een van hen knikte begrijpend maar liet het daarbij. Het was een kort onderhoud. Bettie stond op en liep met hen de gang in. Een van de rechercheurs hield haar hand wat langer vast toen ze bij de buitendeur stonden.

'Het spijt me, mevrouw, maar met dit bericht alleen is de zaak niet voorbij, ik neem aan dat u begrijpt wat ik hiermee wil zeggen.'

Hij keek haar vorsend aan vanonder zijn zware wenkbrauwen.

Bettie knikte: 'Ik weet het, we zullen nog heel wat over ons heen krijgen.'

'Ik wens u sterkte in de komende tijd. Gelukkig zullen uw kinderen u terzijde staan.' Hij gaf haar zijn kaartje.

'Wij houden u vanzelfsprekend op de hoogte, maar als u de komende weken met vragen zit kunt u me altijd bellen.'

Met een brok in haar keel bleef ze even achter de gesloten deur staan. Het balletje was gaan rollen en ze had er weinig hoop op dat het met een sisser zou aflopen.

En dat deed het ook niet. Er ontstond aardig wat commotie en ook de pers bemoeide zich ermee. Ernst werd beschuldigd van fraude op grote schaal, hij had diverse banken benadeeld. Over de omvang van het schandaal werd druk gespeculeerd. Maar Bettie zelf was nauwelijks op de hoogte en kon de berichten daarom ook niet ontkennen noch bevestigen.

Kate was in die tijd een geweldige steun, en ook de andere twee stonden steeds paraat voor Bettie en haar gezin. De oorzaak over de dood van Ernst was nog steeds in onderzoek. Steeds meer raakte Bettie ervan overtuigd dat het zelfmoord was geweest, hetgeen niemand verwonderde. Ze was daar al die maanden bang voor geweest. Toen het ergste geluwd was, zaten de vriendinnen en Kevin en Esther op een avond op de bank bij elkaar.

'We hebben alle shit nu over ons heen gekregen,' verwoordde Kevin op hartige toon, 'maar gelukkig voor ons is in deze hectische tijd nieuws alweer heel snel oud nieuws. Er gebeurt iedere dag zoveel op het gebied van de banken en de financiële crisis, dat mijn vader slechts een van de velen was die het hebben verknald. We moeten weer proberen ons gewone leven op te pakken. Gelukkig kijkt niemand ons erop aan en dat is in ieder geval een positief iets, daar moeten we dankbaar voor zijn.'

'Ja, jongen,' zei Bettie vermoeid, 'en gelukkig is hiermee ook de dreiging verdwenen die ons boven het hoofd hing. Maar het zal niet meevallen om het achter ons te laten, het zal moeten slijten.'

'Je zou er even tussenuit moeten,' zei Esther, en ze gaf haar toekomstige schoonmoeder een hartelijke kus.

'Dat is te regelen,' verkondigde Kate tot grote verbazing van Bettie. 'Ik ga een weekje naar mijn broer in Oxford en ik stel voor dat jij met me meegaat, Bettie. Mijn broer vindt het overigens prima.'

'Hoe kan dat nou, wanneer heb je dat bedisseld?'

'Lieverd, je hoeft ook niet alles te weten,' lachte Kevin, 'maar je vriendinnen zitten echt niet stil hoor! Duke gaat een weekje met Emmy mee, hij kon ook bij ons maar het wordt dan wel een beetje krap. Sylvia heeft beloofd samen met haar hulp en Esther de bezem door je huis te halen, want daar is de laatste tijd niet veel van gekomen. Aangezien je, toen de ellende begon, je eigen hulp hebt opgezegd. Zo zie je dat iedereen zijn plan al heeft getrokken.'

'En wat is jouw taak, lieve zoon, want daar hoor ik niets over,' liet Bettie zich horen.

'Ik coördineer de zaken en tja, dat moet ook gebeuren,' hij haalde onschuldig zijn schouders daarbij op. Natuurlijk werd hij hartelijk uitgelachen. 'Nee, lieve mam, maak je maar niet druk, ik heb al beloofd voor je tuin te zorgen.'

Met een warm en dankbaar gevoel ging Bettie die avond naar bed, wat hield ze toch veel van haar groepje mensen. Ze verheugde zich op haar weekje vakantie samen met Kate die haar in Engeland zou gidsen. Ze zou haar alle interessante plekjes en historische gebouwen laten zien, had ze beloofd.

Met Emmy en Tom ging het steeds beter. Ze bleef sinds het nieuwe jaar af en toe een weekend bij hem. En langzamerhand kreeg ze zoveel vertrouwen in Tom dat ze over een toekomst met hem durfde na te denken.

Ook met Sylvia en Frits ging het goed. Eindelijk hadden ze samen het gesprek gehad waar Sylvia zo tegenop had gezien. Hoewel hij het niet helemaal begreep deed hij er wel zijn best voor. Kate had gelijk gekregen over wat ze had gezegd over het klitgedrag van Sylvia. Het had er inderdaad voor gezorgd dat Frits zich meer van haar had terugtrokken. Hij gaf toe dat het hem had benauwd haar zo dicht bij zich te hebben. Later ging ze proberen hem uit te dagen, en toen dat niet hielp ging ze zich steeds meer extravagant gedragen, ook naar anderen toe. Toen Sylvia hem verweet dat hij zich net zo goed een tijdlang anders had gedragen dreigde het weer even mis te gaan. Maar uiteindelijk hadden ze zich naar elkaar toe uitgesproken en voor beiden was dat een grote opluchting. En hoewel Sylvia nooit achter de reden van haar verlatingsangst kwam zorgde de veranderde relatie er wel voor dat de paniekaanvallen steeds minder voorkwamen en de bijbehorende gevoelens vervaagden.

Bettie had het reuze naar haar zin in Engeland. De broer en schoonzus van Kate vonden het gezellig hen in hun huis te ontvangen en met zijn vieren maakten ze leuke uitstapjes.
Op een dag gingen Kate en Bettie naar Canterbury, een van de universiteitsteden. Nadat ze van de wandeling door de prachtige stad hadden genoten gingen ze even op een bankje in de zon zitten bij een oude poort van een kasteel. Het voorjaar was nog erg pril maar voor Engelse begrippen was het prachtig weer. Het was gezellig druk in de kasteeltuin waar de bloeiende struiken en de vele klimprozen een lust voor het oog waren.
'Heb je nog wat van je advocaat gehoord, Bettie, is de zaak nu gesloten?'
'Nee, maar het ergste is voorbij. Weet je dat Ernst een brief bij Jensen had gedeponeerd. Die mocht pas aan mij worden overhandigd als er onverhoopt iets met hem zou gebeuren. Het was een vreemde brief moet ik je zeggen. Hoewel hij niet echt meer van me hield vond hij me toch een te waardevol mens om aan mijn lot te worden overgelaten. Tenminste zoiets stond er. Daarom had hij ervoor gezorgd dat ik financieel verzorgd achterbleef en niemand ergens aanspraak op kon maken ongeacht wat er gebeurde. Ik begrijp dat niet zo goed want in zijn geval kon hij toch moeilijk geld veiligstellen. Nou ja, volgens Jensen was het juridisch in orde en moest ik me maar niet druk maken. En dat doe ik dus ook maar niet want ik ben het hele gebeuren meer dan zat.'
'Hoe doen ze dat met de levensverzekering die Ernst had afgesloten, heb je daar toch recht op?'

'Ik denk het niet maar het interesseert me ook niet. Mocht die ooit uitgekeerd worden dan schenk ik het aan een goed doel. Het is voor mijn gevoel toch geld waar een luchtje aan zit.' Bettie staarde omhoog naar een wolk die even de zon verborg. 'Is dat rechtvaardig naar Kevin toe, die heeft toch ook recht op een financieel aandeel van zijn vader.'

'Kevin komt niets tekort, nu niet, en ook niet in de toekomst. We hebben daar al menig keer over gesproken en dat zit wel goed. En nu wil ik het er niet meer over hebben, Kate, het is vakantie en ik wil alleen maar genieten. Ik word er zo kriegel van het steeds over die rotperiode te hebben.'

'Goed, brombeer, ik trakteer je straks wel op een aangekleed thee-uurtje. Ik weet een heel gezellige en romantische gelegenheid.'

'Ik ben gek op al het Engelse gebak, het is toch anders dan bij ons. Maar je zou me vertellen over de ontmoeting met je zoon.'

'Mm, moet dat nu, ik zit net zo lekker ontspannen in het zonnetje.'

'Ja, dat moet nu, je hebt het me beloofd.'

'Goed dan, want je laat me anders toch niet met rust. We hadden afgesproken op neutraal terrein ergens tussen zijn en mijn woonplaats in. Ik zag hem binnenkomen en voor het eerst deed zijn persoon me iets. Hoewel we uiterlijk niets van elkaar weg hebben herkende ik maar al te goed de uitdrukking die hij op zijn gezicht had. Ik vermoed dat ik ook zo keek. We wilden dit eigenlijk geen van beiden maar konden er evenmin omheen dat een ontmoeting nodig was om een gefundeerd oordeel over elkaar te krijgen. We gaven elkaar een hand en hij nam tegenover me plaats. Het was een vreemde gewaarwording moet ik je zeggen. We bestelden wat te drinken en we wisten geen van beiden wie de openingszin voor zijn rekening zou nemen. Ik heb dat toen maar gedaan. Het was echt heel idioot. We spraken allebei heel kortaf zonder enige emotie te tonen. Het was een soort spiegeleffect. Nou ja, het kwam erop neer dat ik hem zonder omwegen mijn verhaal vertelde. Ik maakte het niet mooier dan het was en hij kon dat achteraf wel waarderen. Hij stelde weinig vragen over die tijd en nam genoegen met wat ik kwijt wilde. Daarna was het wat meer ontspannen en konden we praten over het leven dat we nu leiden. Ik heb hem ook eerlijk gezegd dat ik geen moederlijke gevoelens voor hem koester omdat dat niet in mijn aard lag. Ik heb wel gezegd dat ik hem erg sympathiek vond en bewondering voor hem had hoe hij in het leven stond. Hij accepteerde mijn uitspraak over het gebrek aan moederlijke gevoelens en zei aan één moeder genoeg te hebben.'

'Jeetje, ik vind dit eng weet je dat? Een zakengesprek zou volgens mij nog hartelijker zijn. Ik kan me er geen voorstelling van maken hoe jullie tegenover elkaar zaten. Is er helemaal geen moment geweest dat er van warme gevoelens gesproken kon worden?'

Bettie herinnerde zich de emotionele uitbarsting in de vakantie nog maar al te goed. Het gedrag van moeder en zoon was in haar ogen volkomen tegennatuurlijk.

'Je gezicht spreekt boekdelen,' lachte Kate geamuseerd. 'Maak je geen zorgen, Bettie, het ijs is echt wel voor een deel gebroken. We hebben een afspraak gemaakt dat ik een keer bij hen op bezoek zou komen om kennis met Elke te maken. Ik las wel tussen de regels door dat zij er een positieve invloed op heeft gehad. Bovendien hebben mijn pleegouders en zijn ouders kennelijk ook iets in de melk te brokkelen gehad.'

'Hij noemt je zeker bij je naam?' opperde Bettie toch wel opgelucht dat het niet helemaal een bevroren toestand was geweest.

'Inderdaad. Je kunt je toch moeilijk voorstellen dat hij me nu nog moeder zal gaan noemen. Ik moet er niet aan denken. Trouwens, ik verdien die titel niet eens, daar ben ik me heel goed van bewust.

Bettie reageerde maar niet op die uitspraak, dat leek haar een stuk wijzer. 'Zijn de kinderen er dan ook als je er op visite gaat?'

'Nee, die zijn dan bij opa en oma. Niet alles tegelijk, Bettie. Gelukkig was Peter het met me mee eens dat we beter stapje voor stapje kunnen bekijken hoe het in de toekomst zal gaan.'

'Heeft je broer het nog met je over jullie ouders gehad?'

'Ja, zijdelings. Hij vond mijn vader er slecht uitzien maar ja, dat is ook geen wonder als je jaren met zo'n vrouw leeft. Kijk, ik weet best dat de menselijke natuur ingewikkeld in elkaar zit, en van anderen kan ik dat ook goed accepteren. Alleen niet van mijn ouders, en dan natuurlijk met nadruk op mijn moeder. Maar kom, vriendin, we zijn weer ernstig genoeg geweest, we gaan op ons thee-uurtje af. Ik heb van al dat praten een droge keel gekregen.'

Het was inderdaad een gezellige tearoom waar ze even later neerstreken. Toen de thee en de scones waren gebracht hadden ze het even heel druk met al die heerlijkheden. Bettie nam zich voor ook thuis scones te gaan maken, en in de logeerkamer stonden al enkele potten echte Engelse jam.

'Wat ik steeds vergeet te vragen, Kate, hoe zit dat nu met ons weekje vakantie dat we met elkaar zouden doorbrengen. Ik heb daar helemaal nog niets over gehoord.' Ze likte de jam van haar bovenlip en veegde haar kleverige vingers af aan een servet.

'Maak je daar maar niet druk om, kind, dat is allang geregeld.'

'Geregeld, en ik weet nergens van!'

'Wacht maar af, en trouwens, we gaan veertien dagen.' Kate noemde de datum die al aardig dichtbij kwam.

'Dat is al over een maand, en de anderen weten er al van?' Kate knikte geruststellend. 'Geniet nu maar van je cream tea, je hoort het allemaal nog wel.'

Bettie zette haar koffer in de hal en legde haar jas erbovenop. Nog even controleren of alles in orde was en als laatste nam ze de plastic tas waar de lekkernijen voor de koffie in zaten. Ze keek op haar horloge, Kate zou er nu wel gauw zijn. En inderdaad, de bekende toeter klonk in de ochtendstilte. Bettie zwaaide de deur open en verwelkomde haar vriendin hartelijk.

'Ik zet mijn auto even in de garage en dan kunnen we vertrekken.' Ze hadden afgesproken met de wagen van Bettie te gaan.

Even later waren ze op weg. Kate had beloofd te rijden zodat Bettie er haar gemak van kon nemen. Duke was de dag ervoor door Emmy opgehaald, die vond het heerlijk het hondenbeest in haar auto te hebben.

'Heb je er zin in?' Kate keek even opzij naar het ernstige gezicht van Bettie.

'Ja natuurlijk, maar waarom doen jullie zo geheimzinnig over de locatie?'

'Ach, daar kom je zo achter, we wilden je verrassen. Maar over een halfuur stoppen we eerst voor de koffie, oké?'

Toen ze aan de koffie zaten vertelde Kate haar eerst nog even een nieuwtje.

'Ik ben twee weken terug bij Peter en zijn vrouw geweest. Het is me alles meegevallen moet ik zeggen. Er werden geen heikele onderwerpen aangesneden en het was echt een redelijk gezellige dag. De rest van het weekend heb ik bij mijn pleegouders doorgebracht. Peter en Elke gaven me te kennen dat ze contact wilden houden en dat ze me graag beter wilden leren kennen. Ik ben ermee akkoord gegaan onder de voorwaarden dat het verleden niet steeds zou worden opgerakeld. Wat er eventueel nog te melden viel kwam later dan wel aan bod. Vlak voor ik wegging werden de kinderen gebracht en heb ik kennisgemaakt met Peter zijn ouders. Ik vond het allemaal wel veel ineens maar aan de andere kant ben ik daar ook weer doorheen.'

'Wat spannend, Kate, dat had je verleden jaar om deze tijd toch niet kunnen denken. En ach, weet je, het moet allemaal nog groeien en je hebt gelijk dat je het niet wilt forceren. Het is mooi zoals het er nu uitziet.'

'Inderdaad, het zijn best verstandige lui, en achteraf ben ik toch wel blij dat het zo is gelopen. Maar kom, het huisje wacht op ons.'

'Ja, dat zal best wel, ik ben benieuwd.' Bettie hoefde niet erg lang benieuwd te blijven want ze herkende uiteraard al snel de route die ze verleden jaar had gereden.

'Ik vind het hartstikke leuk weer naar onze tulpenstek te gaan Kate, maar waarom hebben jullie daar weer voor gekozen?'

'Dat is niet zo moeilijk, we maken gewoon af wat we toen zijn begonnen. Nu alleen geen geschilder en ook geen problemen. We gaan er echt twee leuke weken van maken. We kunnen het tussenweekend naar Texel of Terschelling gaan, en we hebben ons voorgenomen er iedere dag iets leuks van te maken. We zijn alle vier goed op onze pootjes terechtgekomen en dat gaan we uitgebreid vieren.'

Kate reed tot voor het huis en de deur stond al open. Duke rende op de auto af en gaf Bettie amper de kans om uit te stappen. Emmy en Sylvia kwamen ook naar buiten en begroetten hen met een stevige omhelzing.

'Wat een verrassing, jongens,' zei Bettie vergenoegd,' en wat heerlijk dat we hier weer bij elkaar zijn.'

'Kom maar gauw binnen, de koffie is klaar.' Emmy zette de koffer van Bettie in haar kamer en Sylvia was in de keuken bezig.

'Zijn jullie er al lang?' vroeg Bettie aan Sylvia en zette de tas met gebak en andere lekkernijen op het aanrecht.

'Ja, een uurtje of twee. We wilden alles op orde hebben voor jullie kwamen. We hebben dezelfde kamers als verleden jaar, gezellig hè?'

Bettie keek rond en zag een prachtige bos bloemen staan. Er hing een kaartje aan. Moeder Bettie, we willen je bedanken voor hetgeen je verleden jaar op touw hebt gezet, dankzij jou zijn we nu allemaal een stuk gelukkiger, dikke kus.

Bettie slikte haar ontroering weg en liep de tuin in waar Duke met een grote piepbal luidruchtig in de weer was.

Bettie keek naar het tulpenveld dat als een stralend kleurenpalet afstak tegen de helderblauwe lucht. Toen draaide ze zich om en met een diepe, vergenoegde zucht voegde ze zich bij de anderen.